夏坂健セレクション Ⅰ

ken natsusaka selection-I

わが心のホームコース

JN278295

ゴルフダイジェスト新書 classic

目次

＊初出「週刊ゴルフダイジェスト」1990年3月13日号〜1991年2月26日号。
文中の固有名詞および登場人物の年齢、肩書、事績などは連載時のままとしました。

構成　ゴルフダイジェスト社編集局
装丁　副田高行
挿画　村上　豊

わが心のホームコース

夏坂健セレクション Ⅰ

ラパン選手　ただいま到着！

槍が降ろうが嵐になろうが、時間厳守こそゴルファーの義務、という気概がまだ旺盛だったころの十一月末。神戸山頂六甲にしても早すぎる雪の朝、一人のゴルファーが雪まみれでクラブハウスにたどりついた。肩から斜めにキャディバッグを背負い、手にしたストック代わりの棒を頼りに六キロの雪道をひたすら登って、目指すは約束の神戸ゴルフ倶楽部。

「プレーができんことはわかっていた。けど約束は約束。顔を合わせた上で中止かどうか決めるのがゴルフというもんや、とその人はゆうた。ほんまにあれが紳士の鑑《かがみ》やと、いまでも敬服しとります」

一つのゴルフ場の支配人を五十年勤めて、近くギネスブックに載る南岡政一さんから聞いた話である。

ゴルフでは、規則によってプレーヤーは決められた時間にスタートし、もし遅刻したときは容赦なく失格となる。悪天候、交通ラッシュ、どんな理由があろうと弁解は一切通用しない。1980年の全米オープンでは、バレステロスが大渋滞に巻き込まれて七分の遅刻。スパイクのひもも結ばずに1番ティに全力疾走したが、ときすでに遅し、次の組がボールを打ちはじめていた。その瞬間、セベの名前はトーナメントリストから抹消された。

ゴルフ史に残る遅刻記録保持者は、ドライバーの正確さで知られたジェームス・マクダーモットである。彼もまた、ゴルフは時間厳守のスポーツだという不文律を常に忠実に守り、1914年の全英オープン出場のときも、余裕をもって練習日の一日前にプレストウィックに乗り込んだほどである。ところが、メジャーの試合が行われるにしては、あたりの空気が妙に静かすぎる。不安になったマクダーモットは、近くにいたコース管理の老人にたずねてみた。

「全英オープンの会場は、たしかここではなかったかね？」

老人はしばらくアッ気にとられていたが、やがて首を振りながらこう答えた。

「あんた、試合は一週間も前に終わったよ」

なんと彼は、手帳に一週間ずれた日を記入していたのだった。

＊

さて、これから紹介するラパン選手も試合に遅れた一人だが、しかし、彼の遅刻だけは涙なくして語れない事情があった。

ビルマ（現ミャンマー）の貴族階級に生まれて、小さい頃からゴルフに親しんでいたラパンが全英アマ選手権にエントリーしたのは１９３７年のこと。

旅客機がまるでタクシーのように飛び回る以前は、船が唯一の交通手段。ラパンも港町モールから、試合が行われるはるか地球の裏側ロイヤル・セントジョージズ目指して、勇躍出帆した。船はのんびりとマラッカ海峡を抜け、シンガポールでひと休みしてから香港へ。

香港で別の船に乗りかえて、二・二六事件で物情騒然とした日本にちょっと立ち寄ってから太平洋横断が始まった。誇り高きビルマの貴族青年は、出航してからも一日とて練習を休まなかった。甲板でジョギングのあとは、よほどのシケでもない限り素振りにほとんどの時間を当てていた。クラブを持って構えれば、船がゆれてくるので、前上がり前下がり、アップヒルにダウンヒル、勝手にアンジュレーションが向うからやってくる。思えば、これほど素振りの練習に適した場所はない。

ようやくのことで、船はサンフランシスコに到着。しかし見物のひまもなく、直ちに大陸横断鉄道にとび乗って一路ニューヨークに。ここまでは順調な旅だった。予定通り豪華客船クイーン・メリー号にも間に合って、いよいよ大西洋を横断、サザンプトンに向かったまではよかったが、途中で小さな台風に遭遇し、船は半日ほど迂回を余儀なくされた。

　勤勉なアマチュア選手は、荒れる海上にあっても練習を怠らなかった。船長の好意によって素振り用の一部屋が提供され、そこでラパンは黙々とクラブを振り続けた。救命胴衣の収納庫の難点は少々天井が低く、従ってのびのびとクラブを振るわけにはいかなかったが、ぜいたくはいえない。

　ビルマを出てから足かけ三カ月目、ようやく彼はサザンプトンに到着した。とにかく急がな

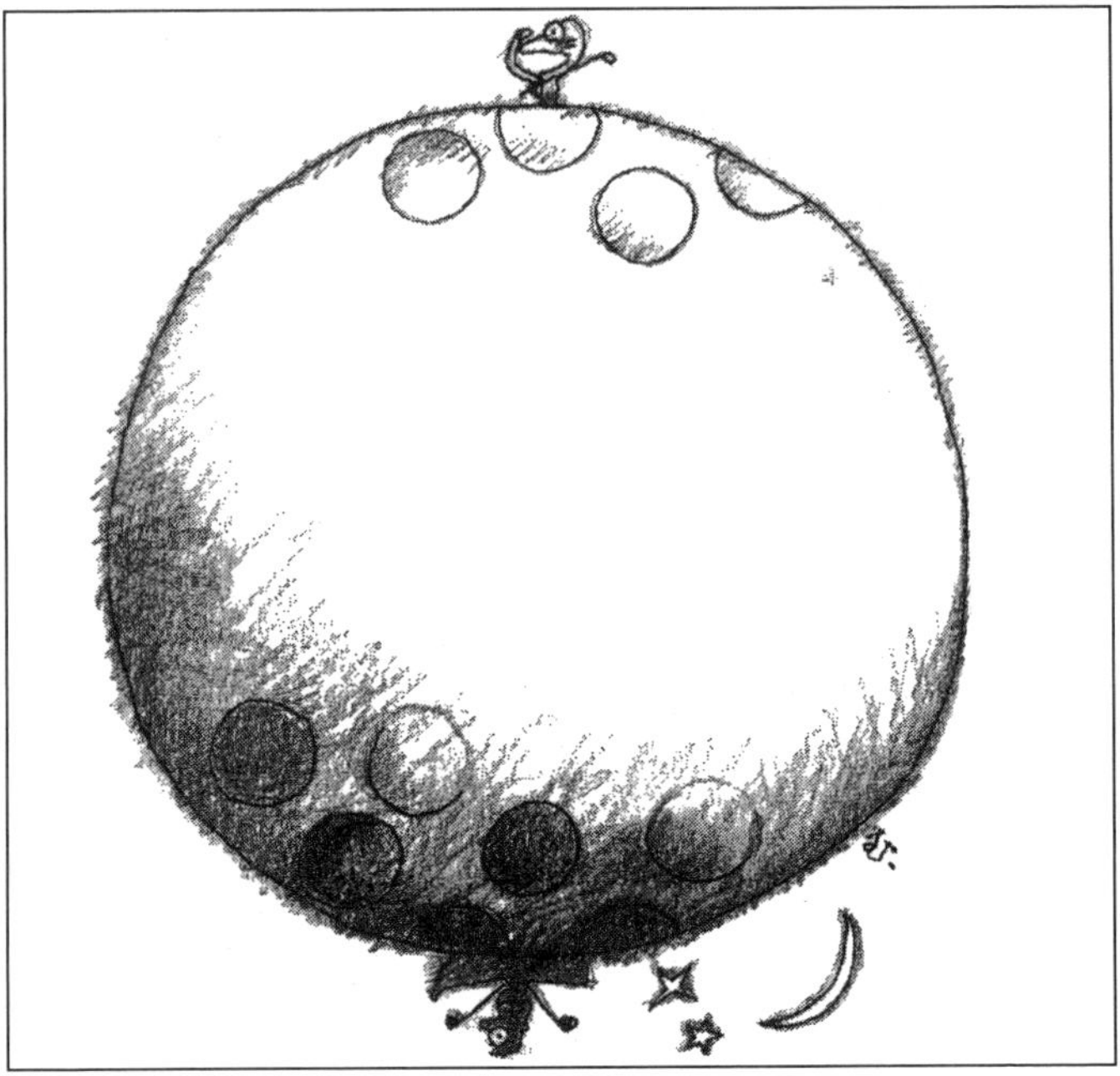

ければスタート時間は切迫している。そこでタクシーをチャーターし、ふらふらの状態で細長いイギリスを延々と北上、途中三度もタクシーを乗り替えて、やっとのことでサンドウィッチ村にたどりついた。

伝統あるロイヤル・セントジョージズのコースでは、いままさに全英アマ選手権の第一日目が開幕したところだった。車から転がり出たラパンは、一目散に大会本部へ駆け込んで、こう叫んだ。

「ビルマより、ラパン、ただいま到着！」

しかし、なんという非情。名簿をめくった役員の一人が、こともなげにいった。

「ラパン君、きみは四時間の遅刻だ。規則を説明するまでもあるまいが、きみはすでに失格しておる」

三カ月かけて地球を半周したというのに、たったの四時間、わずか四時間の微差で、ラパンの旅は哀しくも徒労に終わった。

彼は再び長すぎるほどの長い帰路についたのだが、それ以来、天井の低い客船で素振りを続けた後遺症で、異常なほどフラットなスウィングに悩まされたとラパンは述懐している。

「沈黙のゲーム」の主人公たち

かつての大物ゴルファーたちは、沈黙を美徳と考えていたようである。20世紀初頭のゴルフ界三巨頭のひとり、ジェームス・ブレードは、念願の全英オープンに初優勝したというのに、コメントは次の通り。

「勝てて、うれしい」

これっきりだ。記者団は何かネタになる話を聞き出そうと躍起になって質問を続けた結果、ようやく重い口を開かせることに成功した。

「勝てて、とっても、うれしい」

これで終わり、あとは何を聞いても小さく笑うだけだった。

ベン・ホーガンの優勝コメントは、常に20語を越えず、高い弾道を編み出して全英オープンに5回優勝したジョン・ヘンリー・テイラー、アメリカ人として初めて全英アマ選手権に優勝した名手ウォルター・トラビス、現役時代のジーン・サラゼンなど、いずれも10

語以上しゃべるのは男子の恥とでも思っていたのか、こんな具合いだった。

「名誉ある試合に勝つことができて、光栄に思っている」

ゴルフは沈黙のゲーム。ゴルファーは自分のプレーについても言い訳をしたり、あれこれ解説を加えてはいけないとする風潮が、スコットランドには色濃く残っていた。言い訳は紳士にとって恥ずべき行為、騎士道に反するという伝統に加えて、どうやら生まれつき無口だった偉大なるプロ、トム・モリス翁に右へならえした形跡もないわけではない。しかし、それにしても揃って無口な男ばかりがプロになるものだと感心していたら、ゲームから遠ざかるにつれ、今度は口数を多く叩くようになるから愉快である。

服装にしても、むかしのプロはいかに目立たないように保護色をまとうか、地味であることに腐心した気配が見られる。選手とコース管理人を区別する唯一のポイントはネクタイだけといわれた。目立たないように、あくまでも控え目に、勝っても沈黙、負けても沈黙、プロの仕事はショットを見てもらうだけ。

しかし、テレビのない時代、記者たちは何があろうと無口な彼らの口を割らせて、記事にリアルなコメントを添えようと必死に喰いさがった。これはまさに楊枝で牡蠣の殻を開けるような作業だった。

＊

1927年から始まった米英プロ対抗戦、ライダーカップは、初回がアメリカ、2回目がイギリス、3回目はアメリカが雪辱して、いよいよ4回目、1933年にサウスポートとエインスデールの2コースを使用して大いに盛り上がった。

直接関係がないせいか、日本ではライダーカップの名前を知る程度だが、両国のライバル意識ときたら、とくにイギリス人は半狂乱の愛国心に駆られて、しばしばギャラリーの収拾がつかない事態を迎えている。ロイヤル・バークデールで行われた1969年の試合では、アメリカのデーブ・ヒルとイギリスのブライアン・ハゲットがグリーン上で激しく口論し、あわやパンチの応酬寸前というエキサイトぶりだった。

それはともかく、イギリス1勝2敗で迎えた第4回の試合はもつれにもつれて、最後のゲーム、アメリカのデニー・シュート対イギリスのミド・イースタブルック、この両者の対戦が勝敗のかぎを握ることになった。

試合はデニーがバーディをとると、次のホールでミドがバーディをとり返すという、まさに緊迫した一騎打ちが続き、互角のまま18番ホールまでやってきた。

ともにパーオンして、ミドは5メートルのバーディパットを外したが、悠々パーのあがり。それに対してアメリカのデニーは、およそ4メートルのバーディチャンスだ。この1打で星条旗に栄光をもたらすとあって、デニーは檻の中の熊のようにグリーン上を行ったり来たり。ようやく意を決して構え、ヒットしたボールは強すぎて1メートル近くオーバーしてしまった。

グリーンのまわりには、数千の観衆に混じってアメリカチームの主将、ウォルター・ヘーゲンもかたずを飲んでいたが、デニーのバーディ成らずと見るや、反対側に立ってミドに声援を送っていたイギリスチームの主将、ジョン・ヘンリー・テイラーに「引き分け」の握手をするため、ゆっくり歩きだした。と、その足がギクリと止まった。デニーが短いパットを外したのだ。ヘーゲンはその場にうずくまって頭を垂れ、ギャラリーは大歓声をあげながらグリーン上のミド目掛けて殺到した。

それを見た記者団は、とにかくヒーローを確保すべくスクラム組んでミドの身柄を掠《さら》い、やっとのことでクラブハウスにたどり着くと、たちまちインタビューの幕が切って落とされた。

「いやはや、大変な試合だったね」

「……」

「ミド、いまの気分は？」

「いい」

記者たちは、1番から18番まで順を追ってドラマチックな要素を聞きだそうと、ミドに

質問の矢を浴びせたが、そのたびに「うう」とか「おお」とか、およそ活字になるようなコメントは聞かれず、ついに一同すっかり疲れ果てて、ソファにぐったりもたれてしまった。一人の記者が、最後の根気をふるってミドに哀願した。

「たのむから、これだけは聞かせてくれ。きょうの勝因はどこにあったと思うね？」

ミドは、もじもじとスコアカードを眺めていたが、ややあって、唇が動く気配を見せはじめた。記者たちは一斉に身を起こし、緊張してペンを構えた。

「勝因は……」

「そうだ、ミド、しゃべれ。なんでもいいから、どんどんしゃべれ」

「勝因は……」

「どうした!? 勝因はどこにあったんだ?」

「18番」

「そこで、どうした?」

「相手がワンパット、ツーパット、スリーパット」

「!」

「……」

ミドの名誉のためにいうが、彼は頭脳優秀な試合巧者だった。ただ、プロは立派なプレーを披露するのが天職であって、自慢や言い訳は仕事の範疇にないと知っていただけなのである。

和製ゴルフ用語の洪水だ！

ゴルフの起源については諸説があっても、いまのゲーム形態が発祥したのはスコットランドで、15世紀には早くもこの頭がヘンになるほどおもしろいスポーツに人々は夢中だった。

ゴルフ用語もそのころから使われているために、スコットランド古語、ケルト語などが入り混じって、ゲーリック辞典やアイリッシュ辞典をめくっても、いまだに語源不明のものが少なくない。ティはケルト語で「つまむ」を意味し、草や砂を小さくつまみ上げてボールを乗せたことに由来するようだが、古代のスコットランド語になると、「最初の、始まり」という意味もあるので、また途方に暮れてしまう。

しかし、時代がどんなに変化しようとも、ゴルフの精神を伝える用語だけは常に厳格に守られてきた。スコットランドと敵対関係にあったアイルランドでも、イングランドでも、用語とルールだけは「神聖にして犯さざるもの」と敬意を払って、これをみだりに汚す行為は「神への冒瀆」と考えられてきた。伝統は尊重されるものであり、伝統に敬意を払うことはゴルファーの義務とする風潮は、こんにちでもまったくゆるぎない。

ゴルフは19世紀末にアメリカに渡り、広い大地と恵まれた天候の中で一気に花開くが、1894年に創設されたUSGA（全米ゴルフ協会）の綱領と規則を起草した初代副会長のチャールズ・マクドナルドも、スコットランドに忠実に、すべて伝統のままアメリカに採り入れた。第二次大戦が終わった1940年代後半までは、ゴルフ界も厳格の節度が快適に保たれていたといえる。

ところが、イギリスのコラムニスト、ジョージ・マレイが書いたように、「パブリックコースの建設ラッシュによって、大衆化という名の俗悪化が同時進行した」。その結果、にわかに用語とルールが乱れはじめる。

まず最初に現れたアメリカ製ルールが、各コースごとに選手にペナルティの軽減を盛り込んだローカルルールというシロモノ。次にスタイミー規則を破棄してしまった。パッティングのライン上に相手のボールがある場合、遠回りするか、それともロフトのついたクラブで上を越すか、決断とスリルの愉しみが消滅した。さらに、かつてどこにも存在したことがないウィンタールールという不思議なものを作って、フェアウェイのボールをプレースする（置きかえる）ことを許してしまった。

この段階で、「あるがままのボールを打つ」としてきた伝統は崩れ、救済処置の名のもとに、プロもアマも、いいライにボールを置くことに腐心するようになった。ゴルフの堕落の始まり、といったらいいすぎだろうか。

ルール以上に乱れたのが、用語の世界である。

多国籍人種の集合体というアメリカ的事情を考慮に入れたとしても、500年の由緒ある伝統用語をポテトチップスのように切り刻み、さらに調味料として特有のスラングまで加えては言い訳にはならない。

その端的な例が、バンカーをサンドトラップといい変えた軽薄さに見られる。バンカーは堂々とゴルファーの前に示されたハザードであって、決してトラップ（罠）と呼ばれるような欺瞞、陰湿なものではない。イギリスのルールブックに、初めて「バンカー」の文字が登場したのが1812年、このころ日本では壬申《みずのえさる》の時代で、しきりに各地で一揆が勃発していた。バンカーという一つの用語だけ見ても、実に途方もない歳月の重さが宿っているのだ。間違っても、サンドトラップなどといってはいけない。

アメリカによって破壊された最大の用語はなんといってもボギーにとどめを刺す。ボギーは、正しくはパーのことである。

むかし、スコットランド地方の村から村へ巡業する旅芸人の一座があった。ここの代表的な演《だ》し物が「ボギー大佐がやってきた」というオペレッタで、主人公の大佐は性格が頑固一徹、しぶとくて、手に負えない反面、だれに対しても厳正中立で秘めたる優しさの持主だった。そんなところから、ホールの規準打数を、敬意を込めてボギーと呼んだのが発端だといわれている。規準打数でホールアウトした場合、イギリスでは「ボギー」とか「スリーエス」（ＳＳＳ＝スタンダード・スクラッチ・スコアの略）、または実際に打った数を告げている。

なぜ、パーがボギーに変身したのか、これほど重大な間違いがどうして起きたのか。

ゴルフ史上、最初に規準打数の「ボギー」を創案したのはイギリスで、１８９０年のことである。これに対して１９０８年、ＵＳＧＡが独自に「パー」と命名した規準打数を打ち出した。ところがアメリカのパーは距離がきびしくて、18ホール中に4つあるロングホールのうち、2つは「パー4」とした。いまふうにいえば、イギリスでパー72のコースが、アメリカではパー70。

この2つの長い「パー4」が誤解の原因になった。アメリカでのゲームで、４５０ヤードのホールを終わらせたイギリスの男子が、てっきりパーだと思って「ボギー」と申告した。本人は「パー」といったつもりである。ところが取材していたアメリカ人記者は、ボギーとはパーより1打多い打数のことと思って報道した。2打多いとダブルボギー、3打多いとトリプルボギーとし、本当みたいなウソがたちまち広まってしまった。

誤ちは、いつ直しても遅すぎることはない。パーはいいとして、ボギーはおかしいのである。真相を知ったからには、以降「実際に打った数」だけを口にすべきだろう。

さて、間違いだらけのゴルフ用語を拾っていくと、これはもうキリがない話になる。たとえば「フォアサム」とは、本来二人が他の二人と対抗し、両サイドが交互に1個のボールを打っていくゲームをいうが、日本で

は四人の組をフォアサム、三人の組をスリーサムなどという。「ティグラウンド」も和製英語で、正しくはティインググラウンド、面倒ならティというべきだ。「オーバードライブ」「リプレース」「ワンオン」「コンペ」「プラコン」「シングルハンディ」など、いまやアメリカ人が聞いても理解できない用語の氾濫だ。「クロスバンカー」とは、フェアウェイを十文字に交差しているバンカーのことだろうか。「ガードバンカー」も、したり顔の和製英語であり、「ミドルホール」もニセ物だ。イギリスにもアメリカにもこんな名称はない。そうしたら、「ミーディアムホール」といったNHKのアナウンサーがいると、摂津茂和さんも呆れていたが、正しくは2打目でグリーンに届くところから「ツーショットホール」または「ツーショッター」というべきである。さもなくば「パー4のホール」でもよろしい。

ちょっと深いと「アリソンバンカー」、パットの1打目、2打目を「ファーストパット」「セカンドパット」というのも間違いで、カップから最も遠い人が「ファーストパット」、2番目に遠い人を「セカンドパット」と、順番を示す言葉である。

これではうっかり英語も使えないと、もし本当にそう思うならば、なるべく日本語をお使いなさいよ。気取ったつもりのカタカナが間違っているぐらい、カッコ悪いものはないんだから。

コルセットを取って、ガードル脱いで

女性誌のゴルフ特集を見て、一瞬わが目を疑った。モデルが脇腹半分丸見えのランニングシャツを着ているのだ。その下は足の限界まで露出した真っ赤なショートパンツである。とかく若者は、オジさんたちのランニングとステテコ姿を笑うけど、ここはゴルフ場だゾ。脇腹丸出しの下品なスタイルで、伝統と格式ある紳士淑女のスポーツをやろうとするのか。自宅で寛ぐオジさんは、企業戦士の休息の姿であって、きみたちに批判する資格などない。そもそも見出しに、「ラフなウェアで気軽にプレー」とは、不勉強もはなはだしい。ゴルフウェアには不文律があって、襟のあるシャツを着ることが常識だというのに、そんなことも知らないのか。

と、まあ、ひととき怒ったものの、また女性のゴルフファッションにひとつの革命が忍び寄っている予感がしないでもなかった。また、というのは、過去に何度か変革の節目があったからである。

史上最初の女性ゴルファーはスコットランドのメアリー女王だが、1790年ごろにはマッスルバラのゴルフ倶楽部で、漁村の女房や娘たちもしきりにプレーに打ち興じるようになっていた。1810年の記録によると、婦人の年次競技優勝者に対して、新品の魚籠《びく》とショール、それに極上のバルセロナ製絹のハンカチーフを2枚添えると書かれている。

この時代のウェアといえば、さすがに浜で仕事するような服は着替え、町まで遠出する程度のおしゃれでプレーをしていた。

19世紀も後半になると、女権の確立運動と併行して女性ゴルファーが次第に増えてくる。その反面、イギリスには女性の入会を認めない習慣が根強くあって、男たちは自分のコースに「イブのいない楽園」と命名し、悦に入っていた気配も感じられる。二子山理事長は、「一ヵ所ぐらい女性が入れない場所があったっていいじゃないか」と苦笑しながら土俵を守ったが、イギリスにもたくさんの二子山親方がいまだ健在のようである。

1904年に、たった1本のゴムバンドが登場し、それによって女性のゴルフスタイルに変化が見えはじめるまで、正規のウェアはビクトリア王朝風の巨大な裾長スカート、肩口がひだでふくらんだ長袖、飾りのついた平たい帽子、この3点が特徴だった。もちろん、こうした服装では腕が上がらず、ひきずるほど長いスカートは常にまとわりつき、ときには風にスウィングが邪魔されて、クラブで自分のスカートを打ってしまうこともあった。

服装に合わせて、レディス用のコースもいくつか作られた。ドライバーの平均飛距離を70ヤードとしたので、まるでミニチュアのように愛らしいコースになったが、あの格好では70ヤードが限界だったようだ。

シカゴに住むメーベル・ヒギンズ嬢は、輸入されて間もないゴルフに取り憑かれて、たちまちウエスタン・ゴルフ・アソシエーション主催の婦人選手権を制するほどの名手になったが、悩みはやはり長くて幅広のスカートの処理だった。そこで一計を案じ、ゴムバンドをベルトの

位置にはめておいて、アドレスやパッティングの際にヒザのところまで下ろし、タイトスカートのようにぴっちりまとめてからプレーにとりかかった。

このアイデアに着眼した商人がいて、ゴムバンドに「ミス・ヒギンズ」という名をつけて売り出したところ、アメリカとイギリスで大いに売れた。しばらくして、ヒザから下を切り取ったタイトスカートが流行するが、これの原点も「ミス・ヒギンズ」にあったといわれている。

しかし、タイトスカートはゴルフにとって、なんとも具合いの悪いシロモノである。アドレスやグリーン上のライン読みも不都合だが、多くの女性はバンカーの出入りで転倒する始末だった。

＊

1933年、ひとりの勇気ある女性がイングランド婦人選手権に出場する。グロリア・ミノプリオ嬢は無名の選手だったが、史上初めて黒のスラックスをはいて試合に臨んだおかげで、番外史に名を残すことになった。

役員の目には、それが「男性用ズボン」を着用した破廉恥なスタイルに映ったらしく、試合終了後、厳重に訓告しようということになった。ところが彼女は1回戦であっさり敗北し、訓告を与えるひまもなく引き上げてしまった。

「スラックスでもゴルフができる」

このニュースは、たちまち流行に敏感な女性たちのあいだに広まり、訓告を与え損ねたばっかりに、スラックス着用はアッという間に市民権を得てしまった。このころのイギリスの漫画に、

「おい、どこかで歯止めをかけないと、連中はもうすぐ裸でゴルフを始めるゾ」

と、手前で二人の頑固そうな初老ゴルファーが囁き合い、その向こうでは大勢の女性が下着姿でボールを打ち、なかにはグリーン手前のウォーターハザードで楽しそうに泳いでいる娘さんも描かれていた。いまにして思えば、この漫画の先見の明には脱帽して敬服するばかりである。

さて、ビクトリア王朝風の衣裳からコルセットをはずし、タイトスカートからスラックスに移行したところで、とてつもない天才が女子ゴルフ界に出現した。ミルドルッド（ベーブ）・ザハリアスである。

ガンのため41歳の若さで没したベーブは、1932年のロサンゼルスオリンピックで槍投げと80メートル障害に出場、金メダルを獲得する。もうひとつの種目、高跳びでも新記録を出したが、このとき風が強く吹いて記録は公認されなかった。さらに彼女はテニス、水泳、射撃の名手であり、ゴルフもクラブを握って3年後にはテキサスオープンで優勝す

るという非凡の女性だった。ガンの手術を受けた翌年の１９５4年、全米女子オープンに出場して12打差のぶっちぎり優勝をやってのけたが、病気は完治しておらず、１９５6年に亡くなった。7年間の短いプロ生活で通算31勝は、驚異としかいいようがない。

ベーブは、それまでのレディスゴルフの概念を見事に一掃してのける長打の持主だった。飛距離は男子プロと互角。最盛期のジーン・サラゼンと組んだマッチでは、たいてい彼女のボールが10ヤード以上先にあったと、サラゼンは回顧録の中で書いている。

「なぜ、あなたはあんなに遠くまでボールを飛ばすことができるのですか？」

このときのインタビュアーが女性だった気安さもあったのか、ベーブは小声で飛距離の秘密を打ち明けた。

「ガードルを脱いだのよ。あなたもそうしてごらんなさい。たちまち20ヤードは飛距離が伸びるから」

かくしてフェアウェイから、窮屈なインナーファッションは消え去った。そして一足跳びにランニングとハイレッグの時代を迎えようとしている。この現象をニヤニヤしながら歓迎するか、それとも眉をひそめて退廃を嘆くか、このあたりがゴルファーとして、いや、男性としての貴兄の踏み絵になりますぞ。

塀の中の懲りないゴルファー

C・ブラームスが、あの偉大なる音楽家の末裔であったかどうか、いまとなっては調べようもないが、20世紀のブラームスはコネチカットの司法事務所の助手だった。

彼は車の中で女友達にピストルを一発、それも豊かなお尻に向けて発射した。弾丸は濃密に詰まった脂肪によって勢いが弱められたものの、脊髄の一部を損傷、彼女にマヒが残り、ブラームスには12年の懲役が宣告された。男女のトラブルの原因など知れたもので、スライスの原因のほうがはるかに複雑だ。

彼は州立刑務所に収監された。この段階ではまだクラブさえ握ったことがなかった。ところが所内でゴルフに関する2本の映画を見せられて、異様な興味を抱く。この話はE・ネイサンという元刑務所長が書いた『天国でもなく、地獄でもなく』という本に紹介されていたのだが、ブラームスをゴルフの世界に誘《いざな》った2本の映画の題名については触れていない。多分、これは推測だが、ボビー・ジョーンズとベン・ホーガンの映画ではなかったろうか。

彼は外部からゴルフに関する図書ばかり、際限もなく送ってもらう。日中は使役労働があるので、夕食後から就寝までが読書の時間だった。1年後、山のように積まれたゴルフの本は檻の中を占領し、やがて本は同室者からの苦情によって図書室に移されるが、その本棚の一角には囚人たちからこんな名前がつけられた。

「ブラームスの音楽室」

ある日、ネイサン所長のところにやっかいな請願が舞い込んだ。一人の囚人が、アイアンの差し入れを許可して欲しいと。

「大バカ野郎の、タチの悪い冗談だ！」

所長は怒って言下に却下する。どう考えてもゴルフクラブは立派な凶器であり、「9番アイアンの1本もあれば、100人の看守を殴り殺したあとで、悠々100ヤードのアプローチを楽しむことだってできるというもんだ」と、呼びつけたブラームスに噛みついた。

「でも私は、ゴルフをしてみたい」

「けっこうな話だ。わしもゴルフは嫌いじゃない。しかし、お前さんは自分がいまどこにいるか、肝心なことを忘れてる。ここは刑務所なんだ。金網が張ってあっても練習場じゃない。お前は囚人なんだ」

それでも懲りずに、ブラームスは数十回の請願をくり返している。1962年4月、刑務所に副知事がやってきて、運動の時間だけ「空いている檻の中で、外に看守を立たせ、ブラームスにクラブを渡す。30分後、クラブを看守に返してから檻の鍵をはずす」という条件を所長に持ちかける。

この一事から推察するに、ブラームスの身内には相当な実力者がいたようである。さらに、集め得る限りのゴルフ図書を送り続けたのも容易なことではない。おそらく彼は、いいところの息子だったと思えるのだ。

ここからが実にアメリカ的というか、わが国の刑務所からは予想もできないことだが、ブラームスは休憩時間だけ独房に入って、いよいよスウィングに取り組むのである。そして、思わず笑ってしまうのが所長の次のくだりだ。

「膨大な量の技術書を読み漁ったにもかかわらず、私が見に行ってみると、彼のスウィングはぎこちないの一語につきた。スウィングの各部分については造詣が深くても、それらをつなぎ合わせるためのリズムとタイミングがまるで駄目だった。そこで私は、彼にアドバイスを与えることにした」

なんのことはない、所長も相当な〝教え魔〟だったようである。

＊

1964年には、まさにボビー・ジョーンズの再来を思わせるほど見事なスウィングを身につけるまでになった。仮釈放を前にした彼を伴って所内の農園に出掛け、時間の許すかぎり実際にボールを打たせたが、その正確さときたら、150ヤード先きの細い畝《うね》の上に、ぴたりと白球の山が築かれるほどすばらしいものだった。

ブラームスは本当に模範囚だったが、ついに5年間の刑務所暮しで、人生に目標を見つけるまでに成長した。彼はプロゴルファーになることを夢見ている様子だった。

1964年11月、クリスマスが1カ月後に迫った日、12年の刑を5年でつとめ上げたブラームスは無事出所する。所長は彼に自分愛用のパターを贈り、いったい5年間で何冊ぐらいの本を読んだかをたずねた。

「入手可能な本は、全部読みました。暗記した技術の本も5、6冊あります。1行残さず暗記して、その通りにやってみて、自分のフィーリングに合わないスウィングを捨てるようにしたら、結局ボビー・ジョーンズだけが残ったのです。あの人は偉大だ。一度でいいから会ってみたい人です」

ジョーンズが亡くなったのは1971年12月18日だから、もちろんこの当時は存命だった。

「パッティングだけが課題として残された。刑務所は規則によって床をいじったり、床に物を置くことが禁じられている。もちろんトンネルを掘って脱走する者を防ぐためだ。パッティングの練習をさせたいと思っても、まさか所長の私が床にじゅうたんを敷くわけにもいかず、ついにブラームスはパッティングだけマスターすることなしに故郷のマサチューセッツ州に帰っていった」

1966年5月、彼はイースタン・アトランティック・アマ選手権に出場して、初日78、翌日は76で15位タイという立派な成績を残す。翌19

６７年の全米オープンは6月にバルタスロールで行われ、ジャック・ニクラスが優勝しているが、ブラームスはオークモントのコースで予選のまた予選に出場するまでになった。つまり彼は実戦ラウンドのできない刑務所でスウィングを勉強し、64年に出所して67年の全米オープンの予選に参加しているのだから、実際には2年数ヵ月の経験だけで見事なアマ選手に成長したことなる。

さらに同じ67年、全米アマ選手権の予選に挑戦したが、たった1打及ばず涙を飲んだ。

「私は時間の許すかぎり、ブラームスの応援に出かけていった。おそらく彼は、世界でたった一人の〝刑務所カントリー〟の出身者にちがいない。だから必死で頑張って欲しかった。１９６８年の5月2日、パークサイドの近くのコースで試合があると聞いて、私は家内と応援に行ってみた。ところがボードの〝C・ブラームス〟の名前が2本の線で消されているではないか。

私は係りの人に、なぜブラームスは欠場したのかとたずねた。その男はぶっきら棒にこういった。

〝あの選手はこないよ。ゆうべ近くの道路で事故に巻き込まれて、死んだんだ〟

私は目の前がなにも見えなくなって、近くの木立ちの中にうずくまり、もうこのまま死ぬまでここを動かずに泣いていようと思った」

「アルフィに、万事まかせなさい」

　イングランドのパークデールに、名キャディの住む町がある。たとえばここの住人、ジャッキー・リーは、ピーター・トムソンが全英オープンを制したときのキャディを二度つとめ、大酒飲みのテディ・ダルソーは、そのころ血気にはやってクラブを扇風機のように振り回したがるジョニー・ミラーをなだめすかして、とにかく全英というビッグタイトルを握らせた。

　仲間から「赤鼻」と呼ばれるサム・マコードは、ひとときも休まずにしゃべり続けるリー・トレビノに「壊れた蛇口」というニックネームを進呈し、さらに最終日のフェアウェイの真ん中でお説教までたれて、彼を饒舌地獄から全英の覇者に引き上げることに成功した。サムはトレビノにこういったのだ。

「へらへらしゃべってばかりいねえで、ちゃんと打ちなよ。いいところに乗っけたときだけ、おしゃべりの続きを聞いてやるから」

キャディの仕事がないときは大工でメシを食っているアルバート・ファイルスも、選手のたずな捌《さば》きが達者である。トム・ワイスコフを優勝させたときは、スウィングのテンポをひと呼吸遅らせろといい続け、そのおかげでワイスコフは、いつも鼻息を荒くしすぎて失敗する終盤を無事乗り切ることができたのだった。

しかし、なんといっても総住宅戸数がたったの28軒しかないサフォーク・ロード村の英雄は、ことし64歳になるアルフィ・ファイルスだ。アルフィほどテレビで世界中に放映されたキャディはいない。小柄でずんぐりした彼を見れば、きっとあなたも、

「ああ、この爺さん、知ってる！」

と声をあげるにちがいない。そう、ときにはゲーリー・プレーヤーに寄り添うこともあったが、1975、77、80年の3回、トム・ワトソンが優勝したとき、横でキャディバッグの底をひきずりそうに歩いていた男がアルフィ・ファイルスだ。

彼は4つのコースについて、熟知している。ロイヤルバークデール、カーヌスティ、タンベリー、そしてミュアフィールド。これら全英オープンの開催コースを、アルフィは8歳のときから歩いている。

朝の新聞配達を終わらせると、ゴルファーが集まっていそうなコースを嗅覚でかぎ分け、走ったものだった。18ホールを必死で回って、もらうカネは9ペンス。そのうち3ペンス

はキャディマスターがピンハネして、手元にくるのは6ペンスだけ。

「陽気がよければグリーンのうしろに寝床を作って、そこで寝てしまうこともあった。洗濯は1番ホールの池で済ませたもんだ。10歳ごろだったか、ひと夏のほとんど、ロイヤルバークデールのコースで野宿したこともあった。あそこいらのウサギは全部顔見知りでな。わしとは仲良しだった」

アルフィが名キャディとして頭角を現したのは1968年のこと。カーヌスティで彼はゲーリー・プレーヤーに雇われた。黒豹は定規で直線を引いたかのようにピンを狙い続け、3日目までは完璧といえるゴルフだった。

ところが最終日も後半になって、疲労と重圧から集中力が散漫になり、ボールが左右に乱れはじめた。ゴルファーは瞬時にして内部崩壊を起こし、ひとつのホールでそれまで築いたすべてを失うことを、アルフィは長い経験から痛いほど知っていた。プレーヤーは、ボールを打つのさえ大儀そうに見えた。そのときアルフィは彼の前に立ちはだかり、しゃがれ声でこういったものだ。

「いま、あんたは世界一のタイトルを自分から捨てようとしている。なんてこったい、残りたった7ホールだというのに。2位か3位で満足しようと考え始めている。いっそ、ここでボールを拾い上げ、シャワーを浴びて、家に帰って寝たらどうだい」

プレーヤーは生まれて初めて、石で打たれたほどの叱咤を浴びて立ちすくんだ。

「あれほど厳しい言葉は、正直聞いたこともなかった。私は顔から火が出るほど、恥かしくて、アルフィの顔を正面から見ることができなかった。あの優勝はアルフィのものだと、いまでも心から感謝している」

*

それまでトム・ワトソンは、この国に来たことがないばかりか、1975年のカーヌスティの全英オープンでは指定練習日に遅刻する始末だった。

「どうやら、きみのいうとおりに打つしか方法がないようだ」

「このアルフィに、万事まかせなさい」

2日目からはクラブ選択までアルフィにまかせ、コンビは最終日の最終ホールまで一卵性双生児のように呼吸を合わせ、見事に優勝した。ところが翌年、アルフィはワトソンにつかず、ゲーリー・プレーヤーに雇われた。ワトソンの事務所は契約どおりのキャディフィを支払ったが、こうした古参キャディの世界の習慣として残る優勝ボーナスを忘れたのが真相のようである。

77年の全英オープンは、ターンベリーが開催地だった。その試合を数カ月後にひかえたある日、肌を刺す寒風がサフォーク・ロード村を吹き抜ける午後のこと、1台のタクシーがアルフィ家に横づけされた。

「いやあ、びっくりしたのなんのって、突然前ぶれもなくトム・ワトソン夫人のリンダさんがやってきた。そして、主人はあなたなしでは全英オープンが戦えないといっている、ぜひ力を貸して欲しいと丁重に懇願されたんだ。やさしい奥さんの、あの素敵な微笑を前にして、ノーといえる男などこの世におらんだろうよ」

アルフィとワトソンは再び組んでターンベリーに勝ち、ミュアフィールドでも優勝し

た。

いいキャディを得なければ試合に勝てない、これは例えば1924年にホイレークで行われた全英オープンでウォルター・ヘーゲンが初優勝したとき、当時の賞金70ポンドをそっくりキャディのジミー・アンダーソンに進呈した話、そのヘーゲンからキャディのスキップ・ダニエルズを譲り受けたジーン・サラゼンが、ようやく念願の全英オープンに勝てた話など、いつか名キャディ伝をまとめてみたいと思うほど、ゲームの蔭の主役たちの活躍は大きいのである。

「試合中のプロというのは、そりゃ孤独なもんだ」

アルフィはいう。

「期待と不安、強気と弱気がいつも交錯して、相談できる相手はおれたちキャディだけ。そこでおれたちは父親役から応援団、ときには神父の役まで務めるわけだ。このところ足が痛んで、もう4日間のトーナメントはつらくなったが、最後に一度だけトム・ワトソンと全英を歩いて優勝してみたい。それが多分、おれの引退試合になるだろうね」

68歳の倶楽部チャンピオン

ウイリアム・シンクレアという人物を紹介するのは、ほかでもない。ぐるり身辺を見回すと、次のような愚痴をこぼす人がきまって一人や二人、いるからだ。

「近ごろ、さっぱり飛ばなくなった。老眼のせいかパットが入らない。トシをとると集中力がなくなって困る。これからはスコアより健康第一のゴルフだ」

これをいう人に限って、最後にひとこと、

「むかしはオレも飛ばしたもんだ」

と、つぶやく。

なにもかもトシのせいにして、まったく情けないったらありゃしない。飛ばないことが恥ずかしかったら、空中に打ち上げる必要のない老人用球戯にさっさと転向したらいいじゃないか、と思う。だいたい愚痴と言い訳が多くなると、そろそろゴルファーとして終焉期を迎えた証拠である。

ウイリアム・シンクレアが、セントアンドリュースのクラブ選手権で初優勝したとき、彼は64歳だった。そんなジジイが、まさかと疑い、これは誤植にちがいないと思う向きのためにもう一度申し上げるが、64歳でクラチャンを獲得したのである。

そればかりか、66歳と68歳でも優勝し、合計3回、名誉あるセントアンドリュースのクラブ選手権を手中にしてさえいるのだ。

この事実が、私の胸を熱くする。64歳の優勝は、とても失礼ないい方だが、フロックということも考えられる。当たりまくった上に運も味方する例はままあることだ。しかし、66歳、68歳のときには、課せられた名誉という重圧に加えて老いとの闘いも余儀なくされ、その辛さは老骨も折れんばかりのものがあったと思う。

わが国の〝数え年〟計算でいけば70歳近いではないか。ゴールドシニアとか称して、自らじじむさく振る舞うお歴々よ、シンクレアは若き強豪が群がるセントアンドリュースの選手権に、すっくと乗り込み、並いる若僧を蹴散らして三度も優勝したのだ。

このことを、しっかり肝に銘じていただきたい。精神さえ若さを堅持していれば、ゴルファーは決してトシをとらないということを。

さて、この偉大なるアマチュアをご紹介しよう。

セントアンドリュース・ゴルフ倶楽部で初めてストロークプレー競技が行われたのは、

1759年のことである。もともとゴルフはマッチプレー形式で考案され、1ホールごとにスコットランド独特の用語で勝ち負けを告げ合っていた。

同じ打数で引き分けの場合が「ライク」、1打差は「オッド」、2打差は「ツーモア」、3打差「スリーモア」という具合いである。

しかし、マッチプレーではクジ運が大きくものをいう不公平さがあって、1759年5月9日、ついにセントアンドリュースは「最少打数制度」、つまりストロークプレーの採用に踏みきった。

さあ、困ったのがゴルファーたちである。当時は22ホールあったので、その全ホールの打数を自分と同伴競技者の分、なにかに書き留めなければならない。ところがまだスコアカードが誕生していないので、仕方なし、ワイシャツのカフスに鉛筆でごしゃごしゃと記入した。

もっと困ったのが女房たちだ。洗っても洗ってもカフスは黒くなるばかりで、ついには袖口からボロボロに溶けだす始末。そこで考案されたのがダブルカフスである。しかも脱着可能という頭の良さ、かくしていまに残るファッションが誕生した。

スコアカードが正式に登場したのはやっと1865年、第6回全英オープンのときからなのである。

*

スコットランドの宗家、フリー・メイソンの3代目宗主に生まれたウイリアム・シンクレア（1700〜78）は、弓術の名手として当時のスーパースター的存在だった。ゴルフを始めた年齢はわからないが、有名な詩人サー・ウォルター・スコットが書いたものの中に、

「われわれ学生は、彼の比類なき弓術とゴルフを見るために、いつも群がったものだ」

とあるので、年代的に見て初老のシンクレアに憧れていたことになる。長身を利して大きなアークを描くスウィングから、ボールは若者より遠くまで飛んだ。さらに学生たちを感動させたのが、日没まで続く猛練習ぶりだった。初老の紳士は黙々と、執念深くボールを打ち続けた。

1764年、シンクレアは偉大な記録を引っ下げてゴルフ史に登場する。22ホールの選手権で「121ストローク」という歴史的スコアを達成し、64歳で優勝したのである。

この記録がなぜ偉大かというと、121打を22ホールで割ると1ホール5・5打、これを18ホールに換算すると「99」となって、ゴルフ史上初めて100を切るスコアがここに誕生したのである。

当時のセントアンドリュースには、多士済々の強豪がひしめいていた。しかし誰ひとり

として100を切った者はいなかった。

当時のクラブとボールとコース事情からすると、22ホールで130打が人間の出せる限界といわれる中で、シンクレアは121という驚異的なスコアを達成してのけたのである。

さらに翌々年、このときは22ホールが改修されて、全長をほとんど変えることなくアウト9ホール、イン9ホールの18ホールが完成していたが、その新コースでも若者たちを寄せつけず、2位に4打差を

つけて優勝する。

そして圧巻は、１７６８年のクラブ選手権だ。68歳のシンクレアは、その日も吹き荒れるスコットランドのリンクス特有の強風の中、ボールを打ち始めた。

老いてくれば飛距離も落ちる。これは若いころ想像もしなかったつらくて悲しい現実だ。ボールの落下地点が、無言で年齢を示している。焦りはあるが、しかし、失ったものに未練を持ち続けて何か得るものがあるだろうか。

それよりも、ゴルフには経験が要求される。自分には若い者が逆立ちしても追いつけない豊富な経験がある。それが武器になる。風を読み、起伏を計算し、クラブを考え、心を平常に保ってその一瞬に集中するのみだ。

シンクレアのゲーム運びは、まさに老練だった。トシをとったら3倍練習をする、と友人にもらしていたその豊富な練習量が、難局を切り抜ける自信になっていた。

他の選手が強風に負けた中にあって、ひとりシンクレアは低い弾道を巧みに操り、そして見事に三度目の栄冠を獲得した。68歳のチャンピオンは、このとき何も言葉を残していない。微笑しながら輝くシルバーカップを受けとり、いつものように落着いた足取りでクラブハウスから引き上げていった。

堂々として、静謐《せいひつ》で、おしゃれで、なんという立派なゴルファーだったことか。

麗しきハリーの選択

「アンプレヤブル！」

ハリー・ブラッドショーは、左手を高く上げて宣言した。

一緒に回っていたクリスティ・オコーナーはもちろん、大勢のギャラリーも一瞬呆然とした。そこはごく浅いラフで、ボールを打つのに障害があるとは思えない場所だった。茂みの深さでは悪評高いポートマノックにしては、ボールも浮いて見えるし、前方に木立ちが迫っているわけでもない。

なのにハリーは「アンプレヤブル！」と、再度左手を上げてから、ボールを拾って1クラブほど後方にドロップし、そこから5番アイアンで見事にグリーンをとらえ、2パットでホールアウトした。パーに1罰打が加わって、スコアは5になったが、ハリーは涼しい顔で次のホールに向かった。

「一体、何があったんだい？」

クリスティが、ハリーの顔をのぞき込みながらたずねた。

「ボールが打てなかった」

「石かね？」

「いや、ライが悪かった」

「そうは見えなかったがね。きみほどの名手なら、ウサギの穴からでも一発で出せるはずなのに」

クリスティは、ゲーム終了後、新聞記者から真相を聞かされた。アンプレヤブル宣言の現場をのぞきに行った記者は、なぜ彼が1罰打のペナルティを支払ってまでボールを動かしたのか理由がわからなかった。それほど深い茂みもなく、石も穴も見当たらない。さらに仔細に観察していくうちに、

「そうか、これだ！」

思わず声をあげた。ハリーのボールは、ラフの片隅にひっそりと咲く可憐な紫色の花の、ひと握りほど群生している株の手前にあったのだ。クラブを振れば、花は木っ端微塵に吹っ飛ぶ位置に咲いていた。話を聞かされて、

「なんて奴だい」

クリスティはうめいた。

記者は、ハリー・ブラッドショーをつかまえて、意地の悪い質問を試みた。

「キザだと思いませんか？　詩人的要素が強いゴルファーは、勝負に弱いといいますが」

「私は、きれいに咲いている花を殴り倒す勇気のない人間だ。花よりショットのほうが大事だとは思えなかった。ついでだが、アンプレヤブルの宣言はゴルファーの選択にまかされているんだよ」

もし同じ場面に遭遇したならば、あなたはどちらを選択するだろうか。自らの人間性を見つめる絶好のテーマである。

アイルランドに生まれたハリーは、聖書から自分の職業を学びとった人類史上最初のゴルファーといえる。物心ついたときから、彼はいつもデルガニー教会のブリーソン神父と一緒だった。

老神父は若いころゴルフのアマ選手として鳴らしたが、戦争で左ひざを撃ち抜かれ、選手生活は断念を余儀なくされたものの、コーチとしてアイルランド随一であった。神父は少年ハリーにゴルフを仕込んだ。

「きょうはここから100ヤード先のピンまで、わしがヨシ！　と叫ぶまでボールを打ち続けなさい」

神父はグリーンの横まで行って折りたたみ椅子を広げ、その上に腰を降ろして本を読みはじめる。ときどき立ち上がってカップに近づき、中をのぞき込んでボールが1個でも沈んでいれば「ヨシ！」。

次はバンカーからピンまで50ヤード、やはりボールがカップインするまで神父は静かに本を読み、ハリーは必死でボールを打ち続けるのだった。

神父はハリーに、技術面での細かいアドバイスを与えなかった。

「ゴルフというのはな、教えられるたびにむずかしくなっていくものだ。自分の頭の中に、ひとつの理想とするスウィング像さえ持っていれば十分。あとは自分で工夫と改良あるのみだ」

挫折を訴えると、聖書の中の言葉を引用して答えた。大自然に対する畏敬の念、私利私欲の浅ましさ、愛する心、道徳の尊さ。そして必ず最後にこうつけ加えた。

「ゴルフは、あるがままのものを静かに受け入れるから偉大なのだ。私欲を優先させる人間は、結局一人前のゴルファーにはなれんだろうよ」

*

ハリーはゴルフと聖書を同時に学びながら、やがてプロの道を歩みはじめた。ショートゲームのうまさでは欧州十傑の定評を得ていたが、世界的にその名が知られるようになったのは、ポートマノックに当時の王者ビリー・キャスパーを迎え、なんと7アンド6の大差で打ちのめし、文字通り世界中をアッといわせたときからである。

1949年、サンドウィッチで開催された全英オープンに出場したハリーは、ぺしゃんこの帽子を鼻が隠れるほど目深かにかぶって、陽気にボールを打ち続けた。14番の通称「スエズ運河」ではOBを打ってしまったが、それでも初日の成績68、堂々の首位である。

ところが2日目の5番ホールで、ラフに飛んだハリーの打球に信じられない災難が待ち受けていた。なんと、ボールは壊れて下半分だけの姿になったビール瓶の中に、ぽっこりと納まっていたのである。

「さて、どうしたものかな」

大笑いしたあとで、ハリーはつぶやいた。

「いま役員がこっちに向かっているそうだ。もちろん、このいまいましいビール瓶は問題なく取り除くことができるさ」

多分、ルールブックに解決策を求めれば、同伴競技者の言葉を聞くまでもなく救済は受けられるだろう。しかし、ルールブックに頼る気持ちがハリーの中にはかけらもなかった。

大勢の人を待たせて、役員に裁決を仰いで、それからビール瓶を……いや、瓶はまぎれもなくコースの中にあったものではないか、だとしたらそこに打った自分にすべての責任がある。これは自分で解決すべき問題だ。

ハリーがウェッジを抜いたとき、向こうから急ぎ足でやってくる役員の姿が見えた。

「ちょっと待てよ、ハリー、ルール委員がやってきたぞ」

制止の声に耳を貸さず、アドレスして両目を閉じた。ガラスの破片から目を守るためだ。

「バシャッ！」

瓶は粉微塵に砕け散って、ボールはようやく20ヤード先に転がり出ただけだった。結局このホールで6打を費やしたハリーのその日のスコアは77。しかし、3日目68、最終日70で、南アのボビー・ロックとプレーオフにもつれ込んだが、惜しくもハリーは敗れてしまった。

「花のときはボールを拾ったのに、ビール瓶はそのまま打った。なぜだね、ハリー？　あそこで救済処置を受けてたら、全英オープンで勝てたというのに」

インタビューに答えて、ハリー・ブラッドショーは控え目な声でこういった。

「自然を愛して、あるがままにプレーせよと神父さんに教えられたんだ。そしたら、ああなったが、私にはどちらも同じことだった」

われらゴルファー、みな兄弟

心からゴルフを愛するならば、大自然と、そこに生棲するものたちを決して痛めてはいけない。たとえアフリカンオープンで、突如ラフからイボイノシシの襲撃を受けたハロルド・ヘニングのような目に遭ったとしても、コースの先住権は彼らにある。私たちゴルファーは所詮流れ者にすぎないことを、常日ごろから肝に銘じておくべきだろう。

もちろんヘニングも、500メートルほど全力疾走して難を逃れたが、プレー再開後も物音におびえて集中力が定まらず、78も打って予選落ちの憂き目をみた。

バンコック郊外のゴルフ場では、ティショットを打ち終わって歩きだした作詩家東一平さんの前方100メートル左手から、不意に1頭の巨大なインド象が現れ、悠々と右の茂みに消えていった。

息を飲んでいると、今度は2頭の象が出現、逃げ腰になったところに続いて3頭が列を作ってフェアウェイを横切っていく。恐ろしくて、とてもゴルフどころじゃない。現地の友人と顔を見合せ、クラブハウスに戻ろうとしたとき、ピエロのような衣裳を着た男がとび出してきて、叫んだ。

「旦那衆！　象を見なかったかね？」

「あっち、あっち」

夢中で右手の茂みを指差したところ、男はトンガリ帽をちょっと持ち上げてお礼の仕草をしてから、こういった。

「あいつら、集団脱走しやがって！　サーカスをやめて、いったいどうやって食ってく気なんだろ」

カナダのルブラン氏と、アメリカ・モンタナ州に住むハーガティ氏は、茂みの奥でいまいましいスライスボールを探しているとき、凶暴な灰色熊に襲われた。ルブラン氏はカートまで走ったが、背中をツメで一撃されて全治3週間、ハーガティ氏は脇腹を噛まれてあわや一命を落とすところだったが、仲間が騒いだおかげで熊は食事をあきらめ、山に立ち去った。

それでゴルフは懲りたと思ったら、傷も癒えた3カ月後、コースに現れたハーガティ氏のカートには、新品の連発銃がピカピカ輝いていた。

南アのリゾートコースでは、プロのホセ・マケドトスが、信じられないほど無数のサルで取り巻かれてしまった。茂みの中からボールを打とうとしても、四方八方の樹々の上で狂気の暴れ方をする大群が邪魔をして、ついには枝がバラバラと投げられる始末。

役員が走ってきてボールを林の中から救済してくれるまで、ホセは生きた心地がしなかった。原因は、どうやらサルの子供が地面に落ちていたらしいとわかったものの、ホセは1打罰を支払うことになった。

ゲーリー・プレーヤーも、二度にわたって不運に見舞われている。一度目はパラダイスビューでのマッチで、グリーンをオーバーした彼のボールは巨大なアリ塚に飛び込んでしまった。すり鉢状の砂の底から奇妙なツメが現れて、ボールはアッというまにロストになった。

もう一度は、テレビ撮影のためにマサチューセッツ州でプレー中、池のほとりで遊んでいた一羽のカモにボールをぶつけてしまった。

そのカモはショックでポトリと水中に落ちたが、やがて気を取り直して水中から這いあがり、しばらくボールをにらみつけたあと、それほど長くもない足でプレーヤーのボールを水中に蹴落としてしまった！

＊

フロリダのゴルフ場では、カモメの一群にボールを盗まれたという苦情が毎日のように支配人に寄せられた。支配人は、カモメもコースにいれば「ボールを打たないゴルフ仲間」と思っている自然愛好家だった。そこで鉄砲を撃つかわりに、こんな看板を立てることにした。

「カモメの夫婦に告ぐ！　白くてツルツルしているのは、卵ではありません。あんまり不精しないで、自分たちでせっせと卵を生みなさい。当ゴルフ場の支配人より」

これで、ボールが盗まれたという苦情を、爆笑に転換させることに成功した。

カラスも油断できない相手だが、タヌキ、キツネ、アナグマは、どんな理由からか、巣の奥にボールをせっせと貯め込む癖がある。サウスカロライナ州では、コースの改造中にアナグマの巣を発見、中から実に170個のボールが見つかった。

アリゾナ州に住むテッド・クローリーは、その朝、妻と友人夫妻を伴って第1組でスタートした。前方に人影のない早朝のゴルフ場はまさに気分爽快、フェアウェイは露に輝き、ミツバチは愛らしい羽音を響かせ、そして第1打は申し分なし、2打目はグリーンを少しこぼれたが、得意の7番アイアンでのチップショットを披露するには絶好の場所だった。

コツン！　打たれたボールはのびやかに転がってカップに近づき、止まるかにみえたが、最後のひと回転で音もなく消えた。

「すごい！」

「すてき！」

朝一番のチップインバーディだ。テッドは歓声と拍手に手をあげて応え、それからボールを拾うためカップに手をつっ込んで、

「ギャッ！」

飛びすさって尻餅をついた。カップの中には前夜迷い込んだのか、一匹のガラガラ蛇が潜んでいて、得意絶頂のテッドのゆびに嚙みついたのだった。幸い一命はとりとめたものの、彼はそれ以来朝一番のスタートだけは辞退するようになった。

フロリダでは、夕暮れ間近かにブッシュの中へボールを打ち込んだゴルファーがいる。ボールを探していると、木陰の暗い場所に古タイヤが投げ捨ててある。

「だれだい、ゴルフ場にこんなものを！」

そういいながら古タイヤを蹴っとばしたら、突然タイヤがほどけて巨大なアナコンダ（大蛇）に変身、こちらに向かってきたからおどろいた。ここのコースの水辺には、巨大な蛇に加えてワニまでいるから恐ろしい。

ゴルフを愛していれば、いつか遭遇するのが蛇である。以前、台湾のコースでプレー中、私のキャディがラフの中で猛毒の百歩蛇を捕えたことがある。嚙まれたら百歩あゆんだところで絶命するのが名前の由来とか。

ところがキャディはいとも無造作に手でつかみ、私のキャディバッグのボール入れに生きたまま押し込んでしまった。

「おいおい、何をするんだい」

「ちょっと入れさせて。今晩のオカズ、スープが上等」

彼はニッと笑った。プレー終了後、彼は毒蛇を持ち帰ったが、しばらくはチャックを開けるのがこわかった。

蛇にまつわる話を続けると、ゴルフ嫌いが増えるかもしれない。そこで栃木県の那須で起こった出来事をご紹介して、打ち止めとしよう。

公務員のAさんは、グリーンエッジからパターで旗竿を狙っていた。そのとき視界の片すみに、一匹の蛇の忍び寄る姿が入った。

「キャーッ!」

思わず飛び上がった拍子に、パターのグリップエンドが睾丸の下に潜り、着地の直前、ぐさりと刺さった。彼は1本のシャフトの上でヤジロベエのように一瞬静止し、それからドサッと倒れ、気絶した。

背後からひたひたと、スランプの足音

プロ仲間が舌を巻くほどのパットの達人、さらにロングアイアンにも抜群のコントロールを持っていたジョン・マハフィは「ちょっとした技術的な故障」が原因でスランプに陥ったと思っていた。

だから、故障の箇所さえ修正すれば、たちまち不調の日々に別れを告げられると信じていた。しか、ボールをトラックに100台分ほど打ち続けても、いまだ以前の自分に立ち戻ることができないでいる。

ジョニー・ミラーも、スランプの原因は自分のアップライトすぎるスウィングにあると思っていた。そこで、多少フラットにクラブを振ったところ、今度は長いものから短いものまで、全部のショットがフックしはじめた。

あわてて元のアップライトに戻したものの、寄り道しているあいだに、正確だったコントロールをどこかに落としてきたことに気がついた。ミラーも、いまもって「技術的な故

障」の部分を探している。

ツアープロ史上、もっとも飛ばし屋といわれたジョージ・ベイヤーの場合は、自分の体がナマったのがスランプの原因だと思い込み、195センチ、104キロの巨体を、再度ボクサー並みのメニューで鍛え直すことにした。

1953年、ラスベガス・インビテーショナルの最終日に、特訓の成果は見事に実を結んだ。彼のドライバーは、なんと384メートルも飛んだのである。打球が観客の一人に当たって止まったため、万が一訴訟されたときの予防処置として数人の役員が立ち会い入念に測定されたおかげで、このビッグショットはギネスに載ることになった。

さらに1955年、ツーソン・オープンでは、389メートル・パー4のホールで、ティショットが直接グリーンに落下、40メートルほど奥で止まったときには、あまりの出来事に観客は拍手することとさえ忘れて息をのんだものである。実に430メートルの超ロングドライブだった。

しかし、ゴルフでは、ドライバーのほかにもいくつか種類の異なるクラブを操らなければならない。鍛え直したジョージ・ベイヤーのティショットはますます飛ぶようになったが、ほかのクラブがままならず、スランプの状態で第一線から消えていった。

スランプの原因を、技術的な問題、肉体的な問題としてとらえるならば、ニクラス、パーマー、トレビノといったベテランから、最近ではクレンショー、ランガー、兆しの見えるバレステロスまで、名選手たちが揃いも揃ってあれほど呻吟《しんぎん》するはずがない。もし原因が単純なものであれば、おそらく1時間の練習で彼らは笑顔を取り戻し、翌週早くも優勝争いにからんでくるはずである。

「本物のスランプ」がどれほどすさまじいものか、かつて驚異的なバーディ奪取率に由来して〝恐怖のトム〟とまで呼ばれながら、やはりスランプに泣いてツアーから退いたトム・ワイスコフ。彼の場合は体を悪くしたことと重なったが、そのトムから話を聞くのが早道だろう。彼は友人のゴルフ記者、ボナー・ソーンダイクに、こう語っている。

「1980年のマスターズ、初日の11番までは、とくに私のゴルフ人生をふり返ってみても、深刻なスランプに悩んだ覚えはなかったと思う。ところが12番ホール、あそこで私の心の中に、得体の知れない魔物が住みついてしまった。こいつはどっかり居座って、どうにもこうにも動かなくなった。ボールを打とうとすると、私に向かって、お前さん、また失敗するよと囁きかけてくるんだ」

オーガスタの12番、155ヤードのショートホール、狭いグリーンの手前まで池が入り込んでいて、不意に吹く風が打球にいたずらを仕掛けてくる。

選手たちはクラブの選択にピリピリと神経を使うが、トムもこのとき、二度三度とクラブを抜き替え、ようやく8番アイアンで攻めることにした。ところが打球は、もうちょっとのところで水に落ちた。

ドロップ地点まで行ったトムはまだ気づいていなかったが、この短い時間に「セルフ・ダウト（自分を疑う）」と呼ばれるスランプの芽が異常な早さで増殖し、トムの体内は自己不信菌にすっかり浸されていた。

「また失敗するのではないか」

「いや、今度こそうまくやる」

「前回は失敗した。だから、また失敗するかもしれない」

「このショットをぴたりと決めれば、なにも問題はない」

トムの中に「成功願望型」と「自己不信型」の二人が交互に出没し、1秒ごとにまったく正反対のことを囁きかけたのだ。

トムはピッチショットを試みた。ところがショートして水の中、次も水の中、さらに打ったが水の中、まるで機械仕掛けの人形のように、同じ動き、同じ表情で都合5個のボールを水の中に打ち込んだ。

「あのときの気持ちを説明することはできない。泣けるものなら、大声をあげて泣きたかった。いや、情けなくて、自分が池に飛び込みたい衝動に駆られていた。あとで思い返してみたのだが、ボールをヒットする直前、また失敗するぞ、ほら失敗した、案の定だという声がずっと聞こえていたような気がする。スコアは13だったが、私には20打も打ったように思えた。あれがスランプの始まりだった」

他人から〝恐怖のトム〟と畏敬されていたその本人が、自分の中に恐怖心を飼ってしまった瞬間、長い不調の道を歩きはじめた。

「調子のいいときは何も考えず、そのまま続けなさい。調子が悪くなったら、思いきり自分のゴルフを変えてみなさい」

スポーツ心理学者ドレッジス博士は、トムにそうアドバイスした。

「スランプに陥ったと自分で思った瞬間、ありもしないスランプが存在し始め、架空のものにおびえて動きが硬直する。トムは実在しないスランプを自分で作ったのです」

そういわれても、心因的な故障に効果があるクスリもなく、ショットは噛み合わず、ゴルフをすること自体が苦しみに変わっていった。日本の「禅」に関する本も読んでみたようだが、立ち直るきっかけにはならなかった。

人間は、自分の進歩を自ら妨害する唯一の生き物だということをトムは実感しながら、潮時を知った。勝てないプロは、船を持たない船長、飛行機のない操縦士、羽のないトンボ、彼は友人のクレイグ・スタドラーにそう語っている。人間は本当に弱いものだ、と。

さて、人生であれゴルフであれ、失望は期待に始まる。期待が大きいほど、うまくいかなかったときの失望も大きくなる。スランプは過剰な期待の裏返しにすぎないと知って、あまり欲をかかないのがゴルファーの心得というものだが、ただし、月イチの諸兄が首をひねりながら、

「調子悪いなあ。おれ、スランプだよ」

というのは、あれはおかしいぞ。月イチしかクラブを握らないで、いいも悪いも、ただの練習不足じゃないのかい!?

「ゴルフで得たものは、ゴルフに返せ」

ゴルフで生計が立つようになって以来、愛すべきグリーン上のドン・キホーテ、チチ・ロドリゲスは、収入の3分の1近くを慈善事業に寄付し続けている。実に30年を越えるチチの援助によって、親のない子、身寄りのない老人が、どれほど多く助けられたことだろうか。

しかもチチは善行を隠して飄々《ひょうひょう》とピエロの役を演じてきたが、彼の援助でカレッジを卒業、新聞記者になった青年がこのことを発表して、ようやく美談が知られるようになった。

そのときチチは、つつましやかにこう答えている。

「チック・エバンスに比べたら、おれのしたことなど人に言えたもんじゃないよ」

いまだに彼は日本でもプレーするたびに、「困っている老人に役立てて欲しい」と、賞金の大半を関西のさる老人施設に置いて帰るのだ。

どうもありがとう、ミスター・チチ。施設の皆さんは、テレビの画面で剣の舞いを踊るあなたに、いつも両手を合わせていますよ。

ゲーリー・プレーヤーも、長い歳月にわたって2カ所の養護施設に限りなく援助を続けている。ローズガーデンの恵まれない子供のための学校では、17年前から運営理事を務めている。プレーヤーもまた、チチと同じことをいう。

「私はチック・エバンスを心から尊敬している。彼の言葉に触発されたのは事実だ」

パーマー、ニクラス、ブルース・デブリン、トニー・ジャクリン、ダグ・サンダースなども、熱心なボランティアとして知られている。ベッツィ・キング、ナンシー・ロペスは、これまでのチャリティ・ゴルフで10万ドルを越える基金作りに協力し、個人的にも恵まれない人々のために骨身を惜しんだことがない。

外国のプロたちは、私利私欲のためだけにプレーをしないがゆえに尊敬を集め、社会的地位も高いのである。

多くのプロが畏敬の念を込めて呼ぶ男「チック・エバンス」。彼こそ連続50回、なんと半世紀の長きにわたって、ただの一度も休むことなく全米アマ選手権に出場し続けた偉大なアマチュアゴルファーである。

本名、チャールズ・エバンス・ジュニア、1890年に勤勉な図書館職員を父親に、インディアナポリスで生まれている。子供のころ、一家はシカゴに移住、ぎりぎりの家計を助けるために、チック少年は近くのエッジウォーターCCでキャディのアルバイト、と同時に自分でもボールを打ち始めた。

「私はたちまちゴルフの虜《とりこ》になった。これはまた何とむずかしく、繊細で、知的で、心の弾むおもしろさがあって、偉大な思想に満ちた競技だろうと、ボールを打つたびに感動がこみ上げてならなかった。私は子供なりに、正しくて、力強くて、いかなる状況下でもムラのないスウィングが行えるように練習を休まなかった」

チックの回想によると、学びたいショットがたくさんありすぎて、夜明けから目が覚めてじっとしていられなかった毎日だという。

16歳のとき、シカゴ・ジュニア選手権で優勝、翌年も連勝。19歳ではウエスタンアマ選手権を制覇して、その勢いでいよいよ全米アマに勝ち進むが、惜しくも準決勝で敗退。1912年には決勝でJ・トラバースに逆転負け、14年の全米オープンでは残り2ホールのところでプロの巨星ウォルター・ヘーゲンの逆襲にあって、わずか1打差で涙をのんだ。

「チックは全米に勝てない」

そんなジンクスが囁かれはじめた1916年、彼はそれまでの屈辱を一気に晴らす快挙をやってのけたのだ。なんと全米オープンと全米アマの2大メジャーに優勝したのである。

もうひとつ、特筆すべきことがある。チックが念願の全米アマを制覇したこの試合に、紅顔14歳のボビー・ジョーンズが初めて出場している。のちの偉大なるグランドスラマーは、大勢のギャラリーの中に混じって、チックの表彰式に拍手を送っていたのだ。

*

1920年、チックは全米アマで二度目の優勝を果たすが、その頃から「イップス病」がひどくなってきた。

別名「ジャークス」「トゥイッチ」とも呼ばれるイップス病は、パットの際に手が思うように動かない心因性障害のひとつで、「ショートパット苦手症候群」と命名され、ベン・ホーガン、サム・スニードをはじめ、若いところではベルンハルト・ランガーもこれに苦しめられている。

「そうか、おれのもイップス病だったか！」

と、ひざを叩いた貴兄、それは思い違いというものだ。月イチゴルファーにイップス病は発生しない。あなたはただパットが下手なだけだ。これは、とってもうまい人だけが感染するエリート疾患なのである。

チックは1メートルのパットを2メートルもオーバーさせたり、50センチのパットが20センチも届かない悲惨を味わいながら、それでも全米アマだけは欠かさずに出場し、一方で、ゴルフに関心を持つ少年少女のために練習用のレコードを製作した。

テープもビデオもない時代、これがよく売れて、チックの手元に5000ドルの印税が舞い込んだ。しかし、この収入はアマチュア規定に抵触する恐れがある。そこで彼は母親に相談した。

「ゴルフで得たものは、ゴルフに返しなさい」

母親の返事は明晰だった。そこでチックは全額をウエスタンゴルフ協会経由で供託預金とした。13年後の1930年、預金は利子が積もって1万2000ドルにもなった。ようやく母の言葉が生かせる

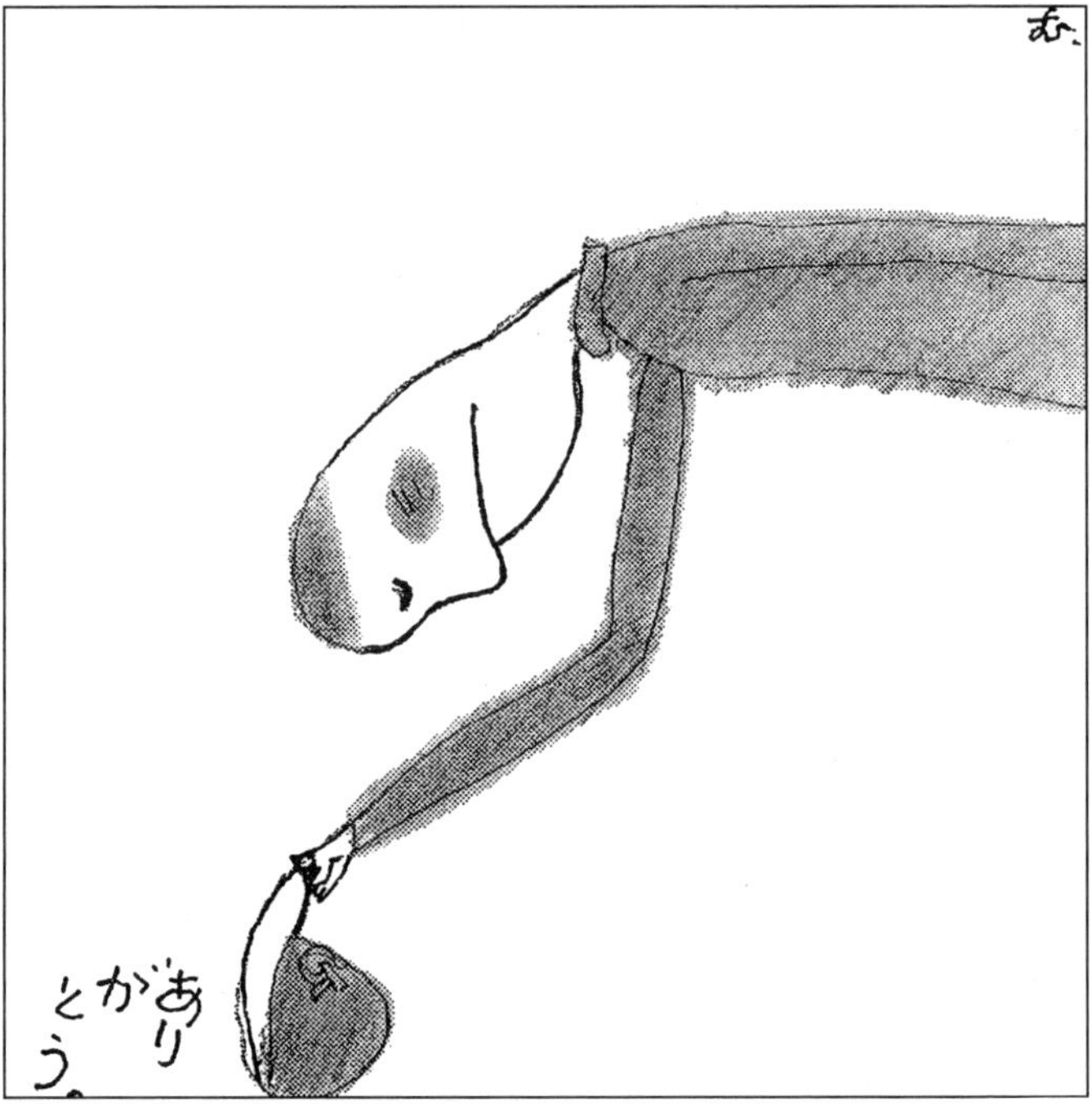

チャンスの到来である。

彼は自分の経験から、貧しい家庭の子弟がキャディになるが、進学したくとも事情が許さず、結局は社会のはざまに埋もれていく人生を余儀なくされる哀しさを、いやというほど見てきている。だから、キャディ少年のための「チック・エバンス奨学金」を発足させるのに、ためらいはなかった。

ところがこのニュースが広まるや、プロゴルファー、ゴルフ場関係者をはじめ、一般の人々から続々と寄付が集まって、なんと100万ドル近い金額に達したのである。これによって1万人もの少年たちがカレッジ教育を受け、その中にはのちの最高裁判事、大学教授、外交官といった逸材も育って、現在なお活躍している人が少なくないのである。

「ゴルフで得たものは、ゴルフに返せ」

この高邁な思想は、チチやプレーヤーたちに受け継がれ、さらにはリー・トレビノ、グレッグ・ノーマン、ベス・ダニエルといった敬虔《けいけん》な人柄のプロたちをボランティアに駆り立てる礎《いしずえ》にもなっている。

ことは金銭面にとどまらない。かつて米国のツアープロで活躍した何人かは、無償で青少年にゴルフを指導する教室を開いて、ジュニア育成に残りの人生を賭けているのだ。

外国勢に見習うのは、ゴルフのテクニックだけだろうかと、私は深くうなだれる。

ロストボールは、「天使の取り分」

「1月《ジャニュアリー》」に行われた試合で勝ったためしがないドン・ジャニュアリーは、いたって静謐《せいひつ》な気質の持主であり、日ごろ無口なだけに、まれに重い口が開くと、ひとことずつがとても哲学的で重厚な響きを帯びるのだった。

そんなわけで、ほかの人の発言ならたちまち消え去るような言葉でも、瞑想的に目を半開きにした彼の口から出たとなると、教祖ジャニュアリー様のありがたいお告げに昇華するところが、人徳の妙味といえる。

過去に何冊か出版された「ゴルフ名言集」からは漏れているものの、ジャニュアリー語録には多くの教訓が含まれている。

曰く、

「失敗も、ゴルフの楽しみのひとつ」

「大き目のクラブで、ボールをやわらかく打つ」

「あなたの進歩を止めているのはスノッブ（見栄）である。謙虚に自分の限界を知ることで、かえって進歩は早まるものだ」

飄々《ひょうひょう》としたユーモリストだけに、ときには脱線語録もないわけではない。

「この世には、ヘボでも楽しめるものがふたつある。ゴルフとセックスだ」

さて、彼の言葉の中で私が座右銘にしているのが、

「ロストボールもゴルフの内《うち》」

という、まことにあっさりした含蓄ある教訓、これをいつも肝に銘じている。

およそ数ある災難の中でも、ロストほどゴルファーを無念と口惜しさの淵に沈めるものはない。ときには凶暴な気分に駆り立てられることもあるし、煮えたぎる思いで、ついには自暴自棄、ゲームを投げてしまうことだってある。

とくに、紛失するはずもない場所にボールがないとき、ゴルファーの神経は金属的な悲鳴をあげながらズタズタに切断される。ロストは、長雨の中で増殖するカビのようにゴルファーにとりつき、じわじわと腐らせていく。

1964年、オークランドヒルズで行われたカーリングインターナショナルの試合中、ジャニュアリーの打球は深くもないラフの中で行方不明になった。5分間、必死の捜索も空しく、ボールはついに発見されなかった。まだ若かった彼はたちまち崩壊してトップグ

ループから脱落、ボビー・ニコルズに優勝をうばわれてしまった。

「この出来事は、私に大きな教訓を与えてくれた。何日間もこだわった末に、こう考えるようになった。つまり、ロストボールはどんなゴルファーでも必ず支払わなければならない税金なのだ、と。渋々払うか、笑顔で払うか、どっちにしても取られるものなら、精神衛生上、気持ちよく払ったほうがさっぱりした気分で暮らせると私は悟ったのだ。ロストボールとOBは、ゴルフを楽しむために必要な税金なんだよ」

＊

失くす神あれば、拾う神あり。

小枝を払い草をかきわけ、四方に目を走らせながら自分のボールを求めてラフを行く。と、茂みの中にチカッと光る白いもの。あったァ！　顔を近づけてマークを見ると、よそ様の新品ボールだ。なんという幸運、不意に心臓の鼓動が高鳴って、「モウケッ！　モウケッ！」と脈を打ちはじめる。吐く息、吸う息は「モラットケ、モラットケ」と荒くなる。

そこで素知らぬ表情を作って、手を伸ばしかけたまさにそのとき、向こうから一人のゴルファーが息せききって現れた。

「すいません。ボールを見ませんでしたか？」

「あっ、これでしょうか」

うまい話がラフに転がってるはずがないんだ、と、内心がっかりしながらボールを差し出す。

それを受け取った相手は、妙に明るい声で、

「あれ、ちがうなあ。まあいいや、これで打っていこう。どうも!」

いまいましい奴は、たちまち軽い足どりで彼方に消え去っていく。

ゴルフの文献にロストボールが登場するのはまれである。20世紀初頭のゴルフ狂、マルディッツ卿の随筆の中に、

「貴重なボールを紛失した経済的打撃に加えて、罰打という精神的打撃を二重に課せられるのは、どう考えてみても不条理に思えてならない」

と、至極もっともなことが記されている。

20世紀になるとマナーの悪いゴルファーが増えたとみえて、J・G・ミラーは「ゴルフジョーク集」の中で、次のように警告している。

「全ゴルファー諸君に告ぐ! まだ動いているロストボールを拾ってはいけない」

スポーツにおけるマナーをテーマにしたキーツ・ブランドンの『名選手たちの笑顔』という本には、ロストボールに遭遇したときの大事な心得が書かれている。これは、大いに参考にしたい名文である。

「ルールで定められた時間が経過したとき、本人以外はそわそわしはじめる。しかし、それをいいだす人はいない。執行人が不在のために死刑が始まらないのだ。ボール探しに協力してくれる人たちの空気を、あなたは間断なく感じていなければいけない。もし空気がダレたと思ったならば、すかさず、

〝皆さん、どうもありがとう。ロストボールにします〟

と、明朗爽快にお礼を申し述べ、宣言すべきである。往生際の悪い人間は、ボール1個に替えられない威信を失うことになるだろう」

これは、まさしく真理を語っている。未練たらしいふる舞いは、それだけで人間性を見られてしまうことになる。

さて、ブドウ酒の樽から自然蒸発した目減りを呼ぶように、ロストボールもまた「天使の取り分」と考えるとして、以前に聞いた不気味な話をご報告申し上げたい。

こんなことが実際に行われていると知って、ショックを受けたのは事実である。

「ライバルのAのゴルフときたら、恥も外聞もなし、汚いことでは天下一品だね。このあいだも右の林の奥に打ち込んで、われわれ一同、ボール探しをしていたら、Aが大声で〝おーい、あったあった！〟。そこで近寄ってみると、林の切れ目の広い場所にボールがあって、まっすぐグリーンが狙える好位置なんだ。

しかもボールは草の上にふんわりと置かれた感じで、ライも最高。案の定、やつはそこからグリーンに乗せてパーのあがり。こっちはバンカーにつかまってボギーだった。得意満面のAのえり首に手をのばして、よっぽどひっぱたいてやろうかと思ったが、こっちにも弱味があるからね、我慢するしかなかったよ。どんな弱味かって？　やつのボールが見つかったというのはウソなんだ。だって、あのいまいましいペテン師のボールは、おれが最初に見つけてポケットにしまったんだから……」

やれやれ、ゴルフの世界も恐ろしい時代が到来した気配である。

いかに、プロを叩きのめすか

どう逆立ちしても、アマチュアがプロに勝てないスポーツの筆頭は相撲である。学生相撲が千代の富士に何百回とびついたとしても、尻っぽで蝿を追う巨象の図だろう。

ゴルフは、かつてアマがプロを制した時代もあったが、たとえば日本オープンでは1927年に黎明期の巨星、赤星六郎が勝って以来、アマはトロフィーから遠ざかるばかりだ。全米オープンにしても、1930年のボビー・ジョーンズ、33年のジョニー・グッドマンを最後に、舞台はプロたちに掠《さら》われてしまった。

たった1日の勝負ならば、あるいはトッププロに勝てるチャンスは皆無とはいえない。AONだって80を打つ日があるじゃないか。彼らの乱調が間違いなくわかっていて、私の調子がめちゃくちゃいい日に一戦を交える。この夢も、4日間トーナメントとなると可能性はゼロになる。ゴルフの世界でも、プロ・アマの差はいまやレキ然たるものだ。

しかし、世の中は広い。いたるところに懲りない面々がいて、死ぬまでにたった一度でいいからプロを叩きのめしたいと、虎視眈々、すきをうかがっている。ボールを打とうが打つまいが、方法は二の次、要はプロに勝つこと、目的はこの一点にある。

アーノルド・パーマーに戦いを挑んだのは、シカゴのゴルフ界でチト存在を知られた盲目のゴルファー、アル・サイモンである。ゴルフ好きの彼のために、家族や友人が協力して距離を教え、フェースをボールに合わせてやる。あとはサイモンが振るだけだ。ちょっとした助けを借りるだけで、彼は18ホールを90台で回る腕を持っていた。

サイモンも虎視眈々組の一人だった。ある慈善パーティの席で、スピーチのため顔を見せたパーマーをようやくつかまえることができた彼は、丁重にゲームを依頼した。

「あなたのことは、雑誌で読みましたよ。OK、ぜひご一緒しましょう」

パーマーは快諾した。その言葉を聞いたサイモンは、うれしさのあまりパーマーに抱きついてしまった。こんなに早く世界のトッププロに勝てるチャンスがめぐってくるなんて、まるで夢のような話だ。

「で、ゲームはいつやりましょうか?」

「パーマーさんのご都合のいいときに」

「ハンディキャップは?」

「スクラッチでけっこうです」

「！」

「ただし、スタート時間は午後10時以降、なるべく深夜にしていただけませんか」

一瞬、間をおいてから、パーマーは弾けるように爆笑した。のけぞって笑い続けたあと、涙をふきながら両手でサイモンの腕を握りしめ、いさぎよく敗北宣言をした。

「ゲームはあなたの勝ちです。私には1パーセントの可能性もありません。参りました」

かくして盲目のサイモンは、1球も打つことなしにパーマーを撃破した。

＊

マッチプレーからストロークプレーに移行した最初の全米プロ選手権は、1958年、ペンシルベニア州リアナーチで行われ、前年準優勝で涙をのんだダウ・フィンスターワルドが、キャスパーやスニードを抑えて初優勝をとげている。

そのフィンスターワルドが、カリフォルニアのコースで練習しているところに、肥満した小柄な中年男が近づいてきて声をかけた。

「あなたが全米プロのチャンピオンですね？」

「私はフィンスターワルドだが……」

「実は私、酔狂でサルを一匹飼っておりまして、こいつにゴルフを教えたところ、けっこういい球を打つようになりまして。そこで話のタネに、1打50ドルでうちのエテ公と試合をしてもらえないかと、連れてきたんですが」

「ほう！　サルがゴルフを。そいつはおもしろい！」

茶目っ気たっぷりな彼は、すぐ話に乗ることにした。男が車から連れてきたのは、体重200キロに近いゴリラだった。ティアップしてもらったボール目がけて、ゴリラは特製の長尺ドライバーをぶん回し、打球はすさまじい勢いではるか450ヤード先までかっ飛んだ。

「こ、こんなスーパーショットは、見たこともない！」

ぼう然としていたフィンスターワルドは、これだけいうのが精一杯だった。ポケットから50ドルを出して、首を振りながら、

「これで勘弁してくれないか。一発見せてもらっただけで十分だよ」

ゴリラの手を引いて車に戻りかけていた男を、彼は呼び止めた。

「ちょっと聞きたいんだが」

「なんでしょう」

「そのゴリラは、パットのほうはどうなんだね？」

すると男は、陽気に答えた。

「こいつに、どうやって見境いを教えるんです？　ドライバーもパットも、打つたんびに

450ヤードでさあ」

＊

「天性《ボーン》のゴルファー」と畏敬されるサム・スニードに喰いついたのは、メキシコ料理店で成功したマノロ・ゴンザレスである。マノロは1週間に5日もコースに通う「狂」の一人だった。

自分のコースで行われる試合に備えて、数日前から練習に励んでいるスニードを見ているうちに、マノロはつい我慢できず声をかけてしまった。

「あなたと一緒にラウンドできたら、死んでもいいとさえ思っていました。1ホールに1000ドルで、お手合わせ願えないでしょうか」

金銭にシビアなスニードの表情が変わった。

「条件はスクラッチ。そのかわり、私に2回だけ〝ムギュ〟のチャンスと、パッティングの際、背後に寄り添ってストロークを見学する許可をください」

スニードは、多分打ち直しのことだろうと思って、〝ムギュ〟の正体を深く詮索しないままゲームを受けて立った。

1番ホール、パーオンのスニードに対して、世紀のスーパースターと同伴した興奮も手伝ってか、マノロは4オンという始末だった。

それにしても、スクラッチとはよくぞ気張ったもんだ。一緒にプレーした記念にご祝儀をくれるつもりらしいが、18ホールで1万8000ドル！　こいつはトーナメントよりはるかに分がいいぞ。

にんまり笑いながら、スニードはパッティングの体勢に入った。もう一度ラインを確かめてから、いざストロークしようとしたその瞬間、不意に背後から股間に手が伸びて、「ムギュ！」の声と共に睾丸をムギュッと握られた。

「いまので1回。残りはもう1回」

勝ち誇ったように、マノロは宣言した。

「それからどうしたって？　全部で1万7000ドルやられたよ。だって、うしろに立っている男がいつ摑んでくるか、そればっかり気になって、4パット、5パットの連続なんだ。おれの身にもなって想像してみてくれよ」

たしかに、いつ不意にムギュが襲来するかと思えば、スニードじゃなくたってアドレスなんかしていられない。かくしてこの勝負もマノロの勝ち！

フロッグマン、グリーンに現わる

1番ホール終了後、AがBにたずねた。

「さぁて、おいくつでしたかな?」

「ええと、6です」

「きわどいところでしたなあ。私は5です」

はてな!? たしか同ストロークだと思ったのに、計算ちがいだったか。今度はしっかり勘定しよう。2番ホールが終わって、再びAがBにたずねた。

「さて、今度はおいくつでしたかな?」

「6です」

「またまた、きわどいところでしたなあ。私は5です」

こん畜生、とんでもない野郎だ。しっかり勘定してたんだから間違いなし、お前さんも6回ボールを打ったじゃないか。相手より1打少なく申告して優越感を満足させる魂胆らしいが、ゴルファーの風上にも置けない奴がいるもんだ、情けない。

3番ホールが終わると、例によって鉛筆を舐めながらAが近寄ってきて、

「さて、おいくつ……」

「だめ、だめ！」

人差し指を左右に振りながら、Bはにんまりと言葉を遮《さえぎ》った。

「今度は、私がたずねる番ですよ」

数あるスポーツの中で、レフェリーがいない競技はゴルフだけ。思えば、これほどごまかしやすい機会にめぐまれたゲームはほかにない。だからこそ、ゴルフほど欺瞞《ぎまん》をおかした者が激しく軽蔑されることも、他のゲームに例を見ないのである。

イギリスでは、倶楽部の競技会で1打の過少申告をしたメンバーがいた。数日後に開かれた理事会で全員一致、その日限りで除名処分が決定された。悪事千里を走る、当然のことだが汚名はたちまち広まって、彼はプレーする場所を失った。過去にも同じことがあったというから、ごまかしの常習犯だったにちがいない。

1972年、ワシントン州で実際にあった出来事は、ゴルフの恐ろしさを如実に教えてくれる絶好の教材として、いまだ地元の人々の記憶に新しいのである。

市が主催したチャリティーゴルフに出場したその青年社長は、二度にわたってボギーを

パーと申告した。ホールアウト後、同伴競技者になじられた社長は、「つい、うっかり」と弁解したが、もちろん失格。

悪い噂が広まったある日、彼の企業が郊外にすすめていた大規模な宅地開発に対して、支援銀行が打ち切りを通告してきた。もちろん会社はあえなく倒産、社長はどこかに姿をくらました。ゴルフでは、欺瞞に対して社会的制裁が加えられることを、この出来事は厳粛に証明してみせた。たった1打、されど1打の重み、ゴルフはこわァいゲームなのである。

*

それでも、やる奴は平気でインチキをやる。ワーストの第1位は「ライの改善」、2位が「グリーン上の距離稼ぎ」、3位が「過少申告」という統計もある。

そのむかし、日本アマ選手権に2連勝した川崎肇は、若い人たちにゴルフを教える際、俳句もどきの忠告をひねりだすのがとても巧みだった。その中の一句、

「手を出すな、ボールをいじると癖になる」

これは、けだし名言であって、一度でもいいライにボールを置いてしまうと、次からは申し分ない状態にボールがあったとしても、ちょっと動かしてみないと気が済まなくなるから不思議だ。

6インチプレースという、なんとも奇妙なローカルルールが作られたのはアメリカで、20世紀初頭のことである。このときからゴルフ本来の思想「あるがまま」の鉄則は崩壊し、ボールをいじることに羞恥がなくなった。

たとえローカルルールで許されようと、コンペの申し合わせで6インチOKが出されようと、自分はボールをいじらない、と決めておく。さもないと、ノータッチのゲームでがたがたに崩れるのは目に見えている。

ワーストの第2位にランクされているのが、グリーン上の距離稼ぎだ。マークをチビリ、チビリとカップに近づけていく手口は、あまりにみじめったらしくて、哀しさを通り越しておかしくなる光景である。ベテランになると、二度三度とマークを置き直すたびに5センチずつ距離を稼ぎ、いよいよボールをセットする段になると、一瞬の早技、10センチほどマークの前にボールを置く。

あちらの雑誌に、チョンボばかり研究しているという変わり者のゴルフライター、P・エルズバーグが、こんな記事を書いている。

「グリーン上で距離をごまかした記録保持者は、テキサス州のC・Eである。彼は1つのグリーンで11フィート（3・85メートル）も、それとなくマークを運んだことがあると私に告白した。そして、これまでのゴルフ人生の中で、少なく見積もっても5000ヤードのパッティング距離を稼いだと豪語している。これは自分の趣味なんだ、と彼はいった。

万引きと同じ、スリルがたまらない、病みつきなんだ、自分ではやめようと思っても、ゆびが勝手に動いてボールを前へ前へと進めてしまう。誰かがパッティングして、みんなの視線が転がるボールに集中しているその一瞬に、さっと自分のボールをセットする、もちろんマークより可能な限り前方へ。これが秘訣なんだ、とC・Eは私に語った。チョンボが万引きと同じく、常習的なスリルを求める行為であるとは、新しい発見である」

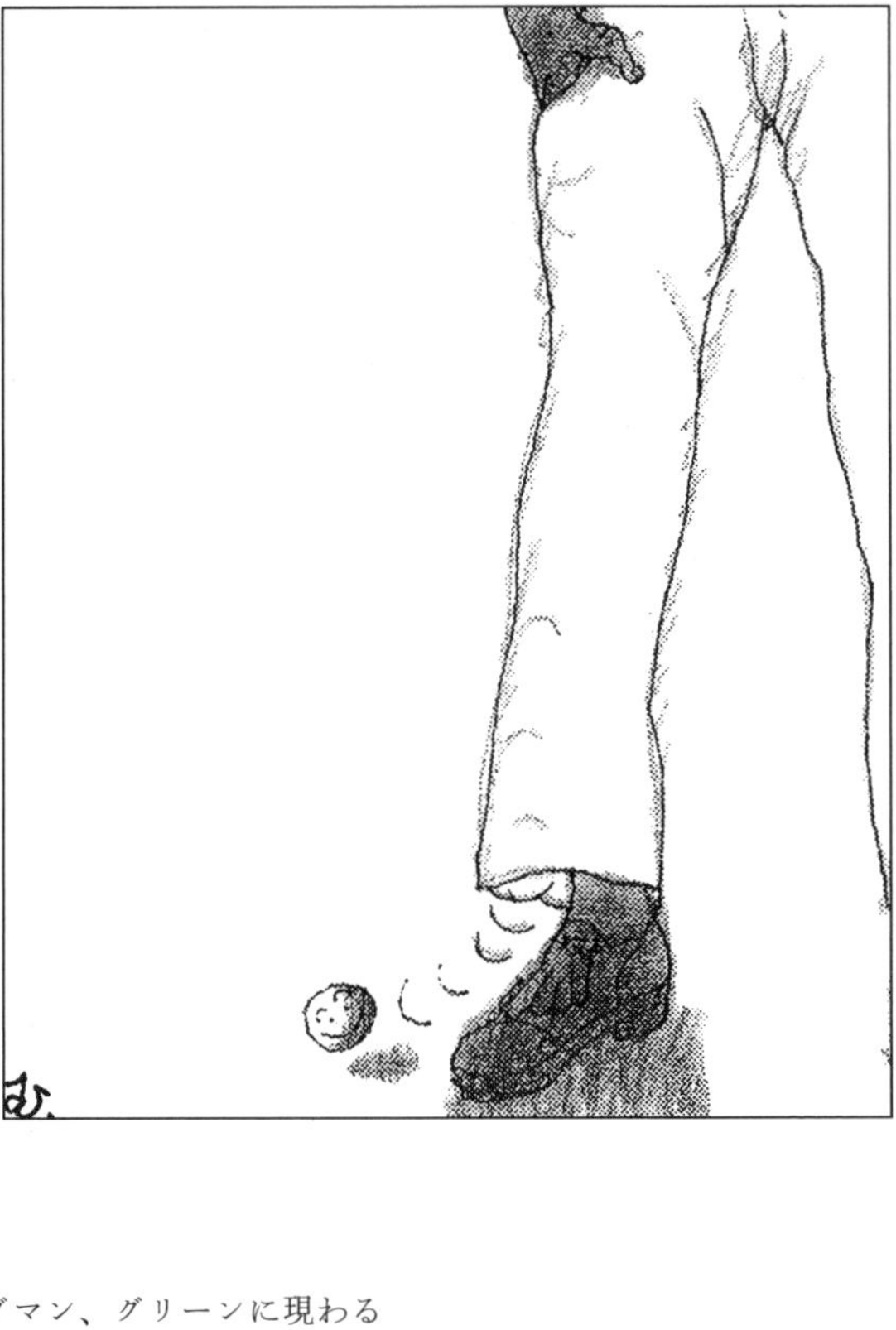

やれやれ、どの道にもそれなりの苦労があるもんだ。5センチぐらい前に出したからと

いって、それでカップインが約束されたわけでもあるまいに。

ほかにもエルズバーグは、いくつかのイカサマを紹介している。左ポケットに穴を開けておいて、スペアボールをズボンの内側経由で地面に落とし、ロストから逃れる古典的な方法。緑色に塗ったロングティを用意しておいて、ラフの中で素早くティアップする知能犯。あたりに人影なしと見るや、バンカーから手でボールを投げる臆病者。林の中で何度もカラ振りしたくせに、「あれは素振りだった」とか「ヘビがいたんだ」と口実を設けるウソつき。ラフに潜ったボールをつま先で掘り起こすセコい奴。

ゴルフの精神を学ばずに、スコアばかりに執着する三流ゴルファーはむかしからいたらしく、1930年ごろ、ルールの権威で知られるH・F・ラッセルが、スコアをごまかす人間を何と呼べばいいかと人にたずねられ、

「さよう、不正を働く者はゴルフの裏街道を行くわけだから、ゴルフ（GOLF）をひっくり返して、フロッグ（FLOG）と呼ぶべきだね」

と答えた。

このときからイカサマ師はフロッグマンと命名されたが、アクアラングをつけた本物の海の男《フロッグマン》に対して失礼な気がするので、私はラッセル氏の考案した名前を使わずに、純日本式の「イカサマ野郎」と呼んでいる。

おかしな、おかしなヨーロッパのゴルフ

いま、世界でもっともエキサイティングなゴルフを見たいと思ったら、それはヨーロッパツアーだ。なにしろ、はちゃめちゃにおもしろい出来事の連続で、笑いとパニックがコースのいたるところに充満している。

わが国では情報不足もあって、ヨーロッパツアーというとマイナーリーグのように思われているが、それは認識不足というものだ。4月から10月まで毎週のように欧州全土を転戦、いまや世界20カ国から強豪、新人とり交ぜてわらわらと集まり、総額2500万ポンドの分捕り合戦が展開されている。

バレステロス、ファルド、ライル、ウーズナム、オラサバルといった常連をはじめ、近ごろではアメリカからもトッププロが積極的に参加するようになって、おもしろさは募る一方。

ヨーロッパツアーの特色は、まず言葉の問題に始まる。原則的には開催コースの国の言

葉、プラス英語となっているが、これだけでは不十分だ。たとえばポルトガルの試合に出場したフランスの選手は、ポルトガル語と英語がわからなかったばっかりに、豪雨の中、30分も1番ティに立っていた。

アナウンスでは「雨のためにスタートを1時間遅らせます」と、くり返し放送されたが、彼には何のことやらさっぱりだった。

フェアウェイに飛び交う選手たちの歓声や悪態にしても、英語、フランス語、イタリア語、ドイツ語、オランダ語、スペイン語に始まって、ときには英語の「畜生！」に該当するモロッコの「パコラッキ！」までとび出して、それが喜怒哀楽のどれを表したものか、選手同士、相手の表情を見て判断するしかない有り様である。

「ヨーロッパでは、毎週ゴルフのオリンピックが行われている」

と、ツアー観戦記者のベテラン、マーク・ウイルソンはいい、1970年ごろから、とくに「ごった煮のようなおもしろさ」が加速されたとも書いている。

このツアーのもうひとつの特徴は、1週間ごとに国も環境も気候もがらりと変わることだ。今週は南フランスのリゾートコース、来週は暗雲たれ込めるヒース地獄のスコットランド、その次の週はフェアウェイのかなたに風車が回り、ティグラウンドには色とりどりのチューリップが咲き乱れるといった案配で、選手たちはコンディションの維持に大いに悩まされている。

マーク・ウイルソンの記事によると、4月の開催から4、5週間のあいだに、胃腸の弱い選手はたちまち落伍するという。ポルトガル、スペイン、イタリア、フランスと巡回するのだが、移動のたびにイワシ、パエーリャ、パスタ、エスカルゴと、食生活はめまぐるしく変化を続け、そのあとは羊肉料理、ブイヤベース、ローストビーフ、スパゲッティ、イカの墨煮とメニューはすすんでいく。

従って成績はともかく、ツアーで生き残るためには、環境と気温の変化におそろしいほど鈍感であること、鋼鉄のような胃袋を持っていること、カタコトでいいから少なくとも6カ国語ぐらいはボンヤリとわかる、この3つが最低条件になる。

うまくボールに当たるかどうかは、その次の問題だ。

＊

4大メジャーには顔を出さなくても、ツアーには実に多士済々、個性豊かな連中が勢揃いしている。

たとえば「瞬間湯沸器」こと、イタリアのロンベルト・モロは、これまでに4回も協会から罰金を科せられているが、ギャラリーは彼の夜叉《やしゃ》ぶりに拍手喝采だ。スリーパットをして、自分の頭をパターのグリップで思いっきり殴るのは日常茶飯、バンカーで3つ叩いたときには頭から砂にダイビングして、なにやら叫びながら水泳の真似をしてみせた。これで罰金刑。

次は池に三発打ち込んで逆上し、キャディバッグをそっくり池に投げ込んで家に帰ってしまった。さらに、ようやくホールアウトしたボールに八つ当たりして、それを役員席のゴミ箱に放り込んだ上に、ゴミ箱ごと川に捨てたこともある。

「モロがいつ怒るか」

多くのギャラリーは、プロのアイスホッケーの試合で喧嘩を待つように、モロが演ずる〝憤怒のパフォーマンス〟を、いまかいまかと待ち受ける。ショットが悪いといってはドライバーのシャフトに歯を立て、自分の腕にガブリと噛みつき、自分のあごにパンチを浴びせるたびに、どっと湧くのである。

「自分を甘やかさないようにしている」

一本気のモロは、酒もタバコもやらない真面目な男である。ただ自分にきびしすぎるのが唯一の欠点だ。

ポルトガルの期待の星、ノエーラ・ジジョットは、重量挙げ出身の23歳。飛ぶのなんのって9番アイアンで160ヤードだ。平坦コースの410ヤードで、第1打をグリーン手前のバンカーに入れてデビュー。

そのグリーンは4つのバンカーにぐるりと囲まれているが、緒戦に上気したノエーラはホームランを連発して4つのバンカーをことごとく経験、最後は4つ目のバンカーから直接カップインしてボギーのあがり、なんとも衝撃的なデビューを飾ったものだ。このヘラクレスも、やがては世界の檜舞台に勇姿を見せるにちがいない。

スペインの新人ホセ・チッチョニは、同伴競技者にとってなんとも厄介な男である。かなりの近眼ということもあるだろうが、いいライにあるボールは全部自分のものだと思い込んで、さっさと打ってしまうクセがある。フランスの試合では、2日間に4回も誤球する新記録を残して決勝ラウンド進出はならなかった。

誤球から自分のボールを守るために、他の選手はホセより1歩でも早く自打球地点に足を早めるが、ホセにしても手ごろなボール目掛けて一目散なので、結局ホセのいるパーティ全員、いつも抜きつ抜かれつ走っていなければならないことになる。まったく厄介な新人が現れたものだ。

新人といえば、この5月20日にはイギリスのリチャード・ボクソールが、ミラノで行われたイタリアンオープンで優勝、賞金約1300万円を獲得した。

「ショットに際して、私は旗竿しか見ない」

と日ごろから公言する「猪突猛進男」にも、ようやく春がめぐってきたようである。また、翌週のボルボPGA選手権では、オーストラリアの「水虫男」、マイク・ハーウッドが17アンダーで追いすがるニック・ファルドを振り切った。マイクは、プロゴルファーの90パーセントが悩んでいる水虫と、もう長いこと同棲しているが、こいつが試合中に前ぶれもなく暴れだす日がある。

スペインのペドレーニャで行われた試合では、9番と12番、15、16番の4ホールで、マイクの目が細くなり、恍惚の表情を浮かべていまにもヨダレを流しそうに見えた。

バーディを奪ったのかって？　とんでもない。この4ホールでマイクはついにスパイクを脱いで、ポリポリと気持ちよさそうにフェアウェイの片すみで水虫を掻いたのである。

われらが煌めきの、ボビー・ジョーンズ

ことし（1990年）の全英オープンは、再びめぐってボビー・ジョーンズがこよなく愛したセントアンドリュースで開催される。

本名ロバート・タイア・ジョーンズが名誉市民の称号を受けるため、車椅子に座ってセントアンドリュース市のヤンガーホールに到着したのは、1958年のことである。会場の内と外には、2000人を超える市民が溢れていた。

颯爽《さっそう》とフェアウェイを歩き、機敏な動きで絶妙なショットを放ち、だれに対しても優しくなごやかに接したあのボビーが、いま車椅子に座っている。19歳の若武者のころから彼を見てきた市民にとって、その姿は痛ましすぎる光景だった。老いも若きも、すべての人が目に一杯涙を浮かべ、呻くように叫んだ。

「ボビー」「ボビー、お帰りなさい！」

なかには両手で顔をおおい、その場に泣き崩れる女性もいたが、ボビーは人なつこい微

笑で大勢の市民の手を握り、もみくちゃにされながら会場に入っていった。

まったく、彼ほど笑顔がすばらしい男性はまれだった。ボビーに会うと、だれもがひと目で好意を持ち、あの爽やかな笑顔に接すると、こちらの心まで春風に吹かれてとろけてしまうようだと、友人のチャールズ・プライスはいっていた。

その数年前から、ボビーは「脊髄空洞症」という奇病に見舞われ、歩行ができなくなっていた。フェアウェイを王者のように闊歩した偉大なゴルファーから足を奪うとは、私は神の慈悲を疑うと作家のヘンリー・スティールは深い悲しみを表したが、それを読んだボビーは微笑しながら、

「私はもう十分に歩いたよ」

といった。弱音を吐いたことがない男だった。

ヤンガーホールの会場正面に座った彼は、くつろいだ態度で市長や関係者の祝辞に聞きいっていたが、そのとき、どんな思いが心をかすめていたのだろうか。1921年、19歳のときに初めて大西洋を渡り、ここで全英オープンを闘ったときの深い失意を思い出していたのだろうか。

あのとき、初日の天候はそれほど悪いものではなかった。ただ、はじめて見るセントアンドリュースの光景には、すっかりたじろいでしまった。

「はじめてここを見たとき、イギリスの友人たちがなぜ口を極めて礼賛するのか、その理由がわからなかった。私の知る限りでは最悪のコースだと、危うく侮蔑するところだった。1926年に再び訪れたとき、2ラウンドもプレーしないうちに、たまらなく好きになってしまった。このコースに巧みに隠された〝神の摂理〟による攻略ルートを探し出そうとするだけでも、アメリカのコースで100回プレーするより多くを教えられたからだ」(回想録より)

それでも初日は36ホールで151打、まあまあのスタートだったが、翌日は寒風が吹きすさび、最悪の状態になった。9ホールが終わったところで46、次の10番では「6」を打ち、11番でもバンカーからのリカバリーに失敗した。その瞬間、ボビーはスコアカードを細かく千切って風に飛ばし、セントアンドリュースをあとにした。天才児がはじめて味わった敗北だった。

1926年からの訪英では、見違えるほどに成長し、とくにグランドスラムを達成した1930年のときには、イギリスの半分がボビーを見るために移動したとさえいわれた。ボビーは強豪シリル・トーリィを相手に、延長の末ようやく勝って難関を突破、決勝でもロジャー・ウェザートを打ち負かして全英アマ選手権に優勝。次いでホイレークの全英オープンに勝ち、アメリカに戻って全米アマと全米オープンを制し、アマチュアにして世界の4大タイトルを1年のうちに手中にするという快挙をやってのけた。

ボビーは17個のメジャータイトルを奪ったが、試合に勝ち続けているあいだにも、ジョージア工科大、エモリー大、ハーバード大を卒業し、機械工学、文学、法律の学位を取得している。

1925年の全米オープンでは、だれも気がつかないラフの中でアドレスしたとき、自分のボールがわずかに動いたと申告、自らに1罰打を与えて、ウイリー・マクファーレンに優勝を掠《さら》われた。

その行為は、優勝することよりも立派だと賞賛されたが、ボビーは「なぜ褒められるのだろう」と、いぶかった。

「ゴルファーとして、当たり前のこと。あなたは、私が、他人のお金を盗まなかったといって褒めますか」

正直で温厚なこの知識人を、セントアンドリュースの人々は熱烈に応援し続けた。1927年の全英オープンで、前年に続いて二度目の優勝をなしとげた瞬間、グリーンを取り巻いていた数千人の市民は感極まって彼をかつぎ上げ、クラブハウスまで運んだほどである。

また、1930年の全英アマのときには、ボビーの応援でセントアンドリュースの住民は一人残らずコースに押しかけ、町はもぬけのからとなった。この信じられない出来事を耳にしたイギリスの推理作家ジェラード・フェアリーは、異常事態の発生で住民が一人もいなくなった町での殺人事件を書いてベストセラーをものにした。

ボビーは、大試合のたびに6キロも痩せてしまう緊張感に別れを告げるため、28歳であっさり引退したが、1936年、愛妻と共にベルリンオリンピックを見物に行った帰り道、ひそかになつかしのセントアンドリュースに足を伸ばし、久しぶりにプレーを楽しもうとした。クラブハウスに到着してみると、1番のフェアウェイの両側から延々と数千人の市民が笑顔で待ちかまえ、万雷の拍手で迎えたのだった。

この日、ボビーは市民と一丸となって心からゴルフを楽しんだが、これがクラブを振る最後になろうとは、だれ一人として想像もできなかった。

＊

ヤンガーホールで、車椅子のボビーはあたたか味に溢れた声

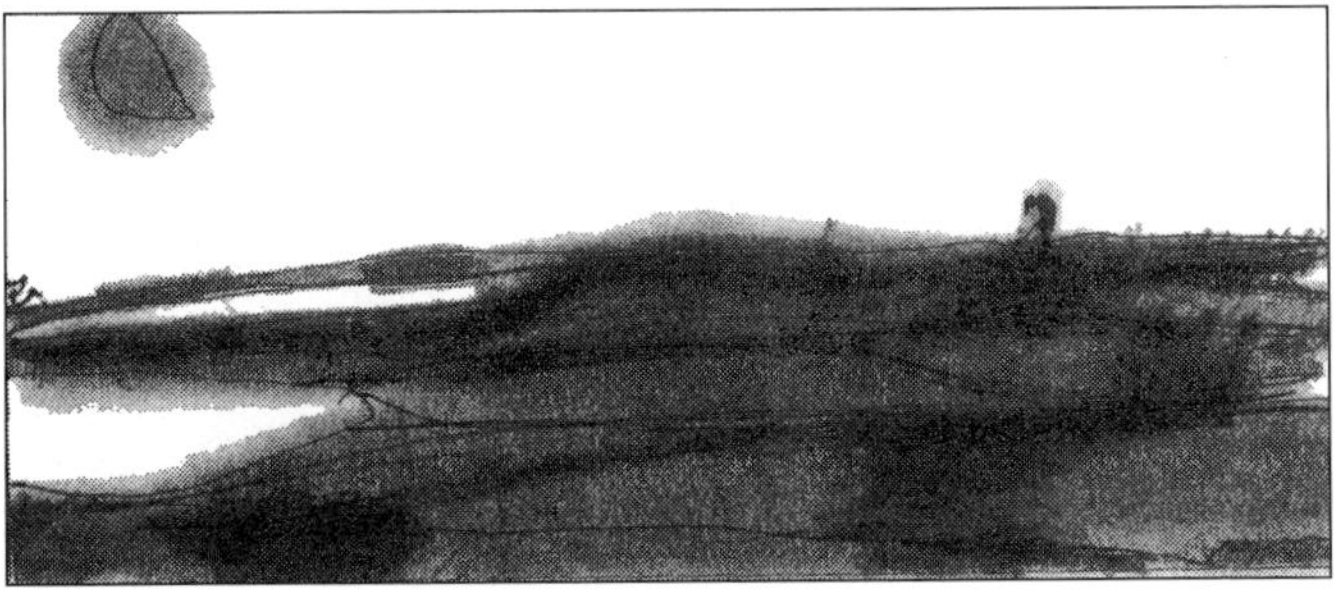

で感動的なスピーチを行った。自分がここで、どれほど大きなものを教えられたか、私に豊かで実りある人生を与えてくれたのはセントアンドリュースであり、もし世界中のコースから1つだけプレーを許されるなら、ためらわずにここを選ぶと、静かに語った。

心にしみるスピーチを終わらせたボビーは、市長に車椅子を押されて、出口に向かおうとしたそのとき、だれが歌いだしたのかスコットランドの民謡「きみ、再び帰りこずや」の小さな歌声が、片すみから湧き起こった。

歌声は少しずつ大きくなっていって、ついにはホール全体が壮大な合唱に包まれた。歌声は会場の外にまで広がり、老いも若きも涙を浮かべながらボビーに手を振り、「いつか必ず戻っておくれ。私は毎日、丘に続く道を眺めているから」と歌い続けた。

大合唱の中を、ボビーの乗った車は静かに走り、やがてコースが望める道端で止まった。かつて熱狂的な歓声が津波のように押し寄せたオールドコースに、その日、人影はなかった。わが庭のように知りつくした一面の緑の起伏をいつまでも見続ける彼の横顔には、心が千切れるほどの深い哀しみが漂っていたという。

ボビー・ジョーンズは、再びセントアンドリュースに戻れなかった。

「根室ゴルフクラブ」に、ようこそ！

日ごろ私たちは、なんと恵まれたライの上で遊んでいることか。全英オープンの開催コースを見るにつけ、「あそこのグリーンは悪い」とか、「ラフがきつくて参った」などと言い訳ばかりしている当節ゴルファーの脆弱《ぜいじゃく》さが、なんとも情けない限りだ。手入れの行き届いた緑のじゅうたんの上でなければボールが打てないとは、われら、堕落したものである。

ウォルター・ヘーゲンによると、スコットランドのラフは、足首が見えない、ひざ小僧まで隠れる、腰が没するの3段階があって、足首あたりでボールが止まってくれたなら、幸運の女神に感謝しなければいけないと。

かつて、初めて全英オープンに参加したジーン・サラゼンなど、ひざの高さまで伸びたラフの中で途方に暮れ、泣きっ面でキャディのニック・ブラニガンに打ち方を教えてくれと懇願したものだ。するとニックは、こういった。

「あんたらは、ラフとも呼べない浅い草の上でプレーしているから、ティショットは思いっきり打てるもんだとカン違いしている。ただ飛ばせばいいなら、ゴルフは大男に占領されちまうぜ。飛距離よりコントロール、このことを忘れちゃいけないよ。ラフに入れたらゴルフはおしまいなんだ。せっかく本場のコースに来たんだから、ラフがどんなもんか、ゆっくり楽しんで帰ればいいさ」

「もう十分にわかったから、打ち方を教えてくれ」

「両手が白くなるほどクラブをしっかり握って、上から杭を打つように、ウェッジでボールをぶん殴るのさ。ここらでは、ガキでも知ってるこった」

おかげで10ヤード前進、ようやく浅いラフにたどりついて、サラゼンはこの危機をダブルボギーでおさめることができた。茫々と茂るススキの根元からボールを打ち出すようなものである。

さて、ラフに加えて天然自然のアンジュレーションが、ゴルフ発祥の地では大切に守られている。地形やハザードに手を加えることは「神物冒瀆」とされる。車で走ったらアゴがはずれそうな起伏、人間がすっぽり隠れてしまうタコ壷バンカー、強風が運んできた砂溜りなど、大自然の造形を雑草一本いじることなく受け入れてきたので、農薬問題や環境破壊といったトラブルは起きようもなかった。

ゴルフは自然を相手に闘うゲームだ、という鉄則も、人工美の緑のじゅうたんに馴れてしまった最近では、かなり空しい言葉になったと落胆していたその矢先のこと。

北海道の根室に住む友人から、耳よりな知らせが届いた。

「うちの近くに、写真で見るスコットランドのゴルフ場によく似たものがある。いっぺん来てみたらいいんでないかい」

まさか、世界で一番コースのメンテナンスに口やかましい日本に、そんなものがあるとは、と半信半疑で列島の最東端ノサップ岬まで出向いてみた。

あと10キロで日本の国土からこぼれ落ちてしまう半島の丘陵には、乳白色の霧が流れ、ところどころにオレンジ色のエゾツツジが咲いて、牛たちがぼんやりと墨絵のシルエットを作っている。気分はまさにスコットランドではないか！

午前9時だというのに、村の分教場のようなクラブハウスに客は私ひとり。ちなみに、6月中旬のこの日、「根室ゴルフクラブ」の来場者は私も含めて10人だけ。午前中のプレーには三浦支配人が、午後には食堂の伊勢さんもつき合ってくれたが、貸切りみたいなものである。

9ホールだけの、さい果てのゴルフ場に、それほど期待を持っていたわけではない。ところがスコアカードを見て、まずおどろいた。1番347ヤードはいいとして、4番は4

28ヤードでパー4、5番は打ち上げていく377ヤードだから、実際には400ヤードの距離がある。そして7番のロングホールが582ヤード、9番のロングも565ヤードと、堂々たる距離を誇っているのだ。さらに、

「こんなコースですが、ノータッチでやっております」

という支配人の言葉を聞いて、不意に背筋がシャンとなった。1番のティグラウンドから周囲を見ると、いたるところにタンポポが咲き乱れ、クローバーが密生し、ラフは深く、雪でやられたフェアウェイには裸地《ベアグラウンド》も少なくない。それでもゴルフ本来の姿勢を崩さず、一切ノータッチでプレーしている毅然たる態度に、私は痛く感心した。

日本のスコットランドと呼ぶにふさわしい荒涼たる小さなゴルフ場が、いたるところに裸地と雑草とクローバーとタンポポに蔽《おお》われた自然のままのコースが、けなげにもゴルフの本質を守っていることに感動した。

正直、ボールを打ち始めてみると、ショットするにはつらい泥の上や、全身の力で抜き上げてもなおからみつくクローバーの群生など、フェアウェイに打ってさえ過酷な試練が待ち受けている。固い裸地では、6インチの救済処置をつい思い出してしまうこともあったが、しかし、ゴルフは自然の中であるがままにプレーするゲームだと「根室ゴルフクラブ」は主張しているのだ。

少しばかりライが悪いからといって、満足に球も打てないようでは、日ごろの大言壮語が恥で染まるというものである。霧の中で、ひたすら黙々とパーを追い求めているうちに、風が吹いて霧のカーテンを天空に巻き上げてくれた。

どうだろう、この景色！　右に太平洋、左にオホーツク海が広がって、にわかにカモメが舞い、

コース一面に咲く花たちは鮮やかに色を増し、一望されるコースの全景は、さながらセントアンドリュースのリンクスを彷彿《ほうふつ》させるではないか。

それにしても、フェアウェイのいたるところが小さくうねって波のように起伏している

のはこれもセントアンドリュースを見習ってのことかと思ったら、

「なに、畠のあった場所に、昭和35年、地元の水産会社の社長がコースを作り始めましてね。自分のところの女工さんを動員して、機械を使わず、すべて人力で畠を平らにしたのですが、どうしても畝《うね》が残って、このような複雑なアンジュレーションになりました」

と支配人。女工さんが手で削ったコースとは、これまた何と日本的であることかと、感慨にわかに深くなって、一歩一歩を踏みしめる。

去ったはずの霧が再び静かに忍び寄り、ピンフラッグの赤い色がぼんやりとにじんでくる。根室には数年前まで〝流し〟のヴァイオリン弾きとサックスを演奏する老人がいて、3曲1500円で酔客のリクエストに応じていたそうだが、老人は新曲をマスターするとき、コースの片すみで稽古をしていたという。

その光景は、いかにも霧のリンクスランドにふさわしいように思える。17番の斜面から、飄々《ひょうひょう》とサックスの音色が流れ、8番の茂みからは哀愁に満ちたヴァイオリンの調べがオホーツクの風に乗ったのだろうか。

素朴でタフなコースが、まだ日本にあったと安堵しながら、心の片すみからお湯が湧くような優しい気分に包まれつつ、私は陶然とボールを打ち続けた。

「ジ・オープン」に、もぐり込んだ男

最古の歴史と伝統に輝く全英オープン選手権、通称「ジ・オープン」には、ほんの少しだけ一般からの出場枠が残されている。

事件が起きた1965年の場合、このわずかなスキ間めがけて世界中から372名の選手が殺到した。プロとアマでは条件に多少のちがいはあるが、マンデーと呼ばれる2日間、36ホールの予選会に出場するためには、それなりの資格が要求される。しかし、そこは紳士のスポーツ、書類さえ整っていれば身元調査に及ぶことはない。

ここが、ウォルター・ダネッキーのつけいるところだった。1922年にアメリカのウィスコンシン州生まれというから、天下の大芝居を演じたこのとき、彼は43歳であった。

あとになってダネッキーの身辺を取材したジョン・イエガーの記事によると、彼は子供のころから誇大妄想狂で、いつも自分がヒーローになる「夢」ばかり見ていた。たとえば戦闘機に乗って群がる敵機をバタバタ撃ち落とす空の英雄になったかと思うと、翌日はヤンキースタジアムで史上空前の強打者に変身、４打席連続でホームランを打つ自分を夢みる、という具合いだった。

こうした妄想癖は、長じるに従って影をひそめるものだが、ダネッキーにとりついた三次元的な夢遊びは広がるばかり。いくつかの仕事を経たのち、ミシガン湖のほとり、ミルウォーキーの西郵便局で手紙の種分け作業の主任になってからも、相変わらず時間さえあればロケットに乗ったり、豪華客船の船長になって美女に取り巻かれたり、空想の世界で遊ぶことが多かった。

もちろん、想像力が豊かであることは、感性にすぐれ、詩人的資質に恵まれた長所といえる。ダネッキーがアラブの石油長者になろうが、アメリカの大統領に変身しようが、だれに迷惑をかける話でもなし、むしろうらやましい趣味の持ち主に思えるのだが、ここに一大変事が発生する。彼、37歳のとき、ゴルフに手を染めたのだ。

そうでなくても頭がヘンになりそうなこのゲームに、病的な誇大妄想狂が夢中になったとしたら、これはもう悪魔と天使の乱交パーティー、彼がパニックの日々を迎えたことは容易に想像できることだ。

「寝ても覚めても、私はゴルフのことしか考えられなくなった。世の中に、こんなにおもしろいものがあったのかとショックを受け、なぜもっと早く始めなかったのか、それまでの人生が途方もなく無駄なものだったと後悔の毎日を送ったほどだ。たしかにゴルフはおもしろすぎる」

1964年、クラブを握って4年目を迎えるころ、ダネッキーは全英と全米オープンに関する本をしきりに読み漁っては、自分をパーマーやプレーヤーに置き替える夢にふけっていた。

最終ホールの両側には数万のギャラリーがひしめき、拍手と歓声が津波のように押し寄せる中を、片手を上げながらゆったりした足取りでグリーンに向かう自分の姿。ピンの根元には第2打のボールがぴたりと吸いついている。土壇場のスーパーショットでついにメジャーの優勝は不動のものとなった。息苦しいほどの恍惚の時間、英雄だけに許される微笑を浮かべながら、いよいよグリーンにあがるその瞬間。

ダネッキーは、ほとんどパーマーになりかけていた。彼がジョン・イエガーに語ったところでは、ある日、我が身に奇跡が起こると信じはじめていた。それはゴルフ開眼なんてナマやさしいものではなくて、突然、すべてのショットが完璧にマスターされるのだ。

神がかり的に、あるときスウィングは見事に完成され、目標にフェースを合わせて振りさえすれば、ボールはことごとくフェアウェイの真ん中に飛び、グリーンをとらえ、ピンにからみ、どんなライからでも一発でカップに沈められる。人生の中で数日間だけ、神が奇跡のゴルフを授けてくださる、自分はパーマーになれる、だから奇跡の舞台を選ばなければならない、と。

おそらく彼は、全英オープンのエピソードを集めた1冊に目を止めたのだろう。そこには予選にエントリーするための詳細な手引きが書かれているからだ。アマの場合は何通かの推薦状が必要だが、プロならいたって簡単である。そこでダネッキーは、請求すればだれにでもくれる申し込み用紙を取り寄せ、

「プロフェッショナルゴルファー」

と記入した。それを書いた瞬間から、すっかりプロになりきったのは言うまでもない。

1965年のマンデーは、ヒルサイド、サウスポート、エインスデールの3コースで行われた。行き先を告げずに休暇をとった彼は、試合当日の朝になってヒルサイドの1番ティに現れた。

いよいよ奇跡の日々の始まりである。

ウォルター・ダネッキーは、悠々、プロらしい落ち着きのある態度でティからボールを放った。

「？」

30ヤードも飛ばないチョロを見て、二人の役員がけげんな表情を浮かべ、それとなくダ

ネッキーのプレーに歩調を合わせ始めた。スコアをカウントしてみると、「9・7・5・7・8・6・6・5・5」といった乱調で、トータル58は、とてもプロと呼べる腕ではない。その日、彼はパー70のヒルサイドで108打を費やし、38オーバーで初日最下位、奇跡は起こらなかった。

「ニセ者がもぐり込んだ！」

この知らせに大会本部はショックを受けたが、いまさら打つ手もなし、おそらく明日は現れまいとタカをくっていた。ところがダネッキーは、まだ奇跡を信じていたし、コースもわかったので、きょうこそパーマーになれると思い込みよろしく、颯爽と1番ティに出現したのである。彼のスタートを引き止める法的手段など、あるはず

もなかった。その日のスコアは次の通り。

「7・7・8・5・5・7・9・5・5」で、アウトは58、「9・6・10・4・6・5・5・4・6」で、インは55。トータル113。

2日間で彼の合計スコアは221打に及び、パーを基準にすると81オーバー、予選通過ラインは151なので、ダネッキーは最低ラインから70オーバーという全英オープン史上最悪の公式記録を作ってしまった。

2日間のプレーが終わったところで、彼は記者たちに囲まれて質問の矢を浴びた。

「たしかに自分はプロじゃない。出場しやすいからプロと書いたまでだ。しかし、今回は奇跡のタイミングがズレただけで、いつか信じられないようなスコアで一流の連中をギャフンといわせてやるよ。問題は奇跡のタイミングだけなんだ」

以上が「ゴルフ天一坊」のあらましである。

さて、正直に告白しよう。実は私にもダネッキーに似た妄想癖があって、寝つきの悪い夜など日本オープンの最終日、青木、尾崎と猛烈にせり合っている場面をしばしば想像しては、血を騒がせている。状況は、二人の名手には申し訳ないが、長いバーディパットを沈めた私の勝ちだ。

だから私には、ダネッキーを責める資格など、ない。

樋口久子プロの、へこたれない「足」

われら草ゴルファーにとって、樋口久子プロと二人ぽっち、さしで18ホールをプレーするなど、夢のまた夢といえる。ところが思いは通じるもので、先日、私たちは人目忍んで浜野GCのフロントで落ち合い、手に手をとって1番ホールを出発したのだから、これはもうゴルファー冥利につきる話である。

畏敬するトッププロと肩を並べて歩く私は、少年のように紅潮し、ツアー70勝の名手が放つ正確なショットに低く唸り、お互い、人生の越し方行く末など語り合いながら、輝かしくも満ち足りた時間に我を忘れていたのだが、ふと気がつくと、もう一人、出版社の写真部長が一緒だった。

しかし、部長は撮影に忙しいので、ボールを打ち合うのは私たちだけと、視線を感じてふり返ってみれば、プロの夫君大塚氏が後続組にぴたりと密着しているではないか。どうやら人目忍んだゴルフ道行きは私の妄想らしいと思い知らされたが、それでも幸せであることに変わりはない。その日、名手のショットは、すべて私が独占したのである。

陽焼けした足が行く。1歩また1歩、よどみなく同じリズムで芝の上を行く。つらくても、悲しくても、歩き続けることがゴルファーの宿命。身辺に諸事雑多があろうとなかろうと、ひたすら黙々、きのうも歩き、きょうも歩く。

ボールを打つのはほんの一瞬、あとは歩きながら考え事をするのがゴルフの哲学的部分だが、人生の大半をコースで過ごすプロたちは、芝の上で苦悩したり、希望を持ったり、決断を下したりしているのだろうか。

愚痴、いい訳のたぐいが嫌いな樋口プロは、いつも大きな目で前方を見つめながら、ひたむきに歩いて二十有余年の歳月が流れている。その途方もない距離を想像したとき、私の前をひたひたと進む「へこたれない足」の凄さに感動し、熱い思いがこみ上げた。

飛距離、よし！　方向性、よし！　バンカー、よし！　日本女子オープンに備えての練習ラウンドに同伴したのだから、これはもう迫力十分だ。アイアンを換えたため、アプローチに微妙な誤差を生じているという話だったが、あれだけ絶妙にボールが寄って、いったいどこに誤差があるというのだろうか。私なりに、日本女子オープンでは間違いなく優勝争いにからむと思っていた。

実際に、樋口プロはこれまでにどれほどの距離を歩いてきたのか、可能な限り正確な数字を追跡してみようとそのとき思い立って、コースから戻ると、あれこれ資料漁りを始めた。

ゴルフは歩くスポーツだが、意外や意外、この興味つきないゲームの基本ともいえる「歩行」についての名言、格言が、ほとんど存在しないことに気がついた。ゴルフの魅力、精神、技術、心理、戦術などについては、数千を越える名言集があっても、肝心の「歩く」ことを考察した言葉の宝石は皆無である。

私の知る限りでは、1953年から日本アマに3連勝し、関東アマと関西アマの両方でも優勝するという珍しい記録を作った名選手、三好徳行氏が、ゴルフにおける「歩行」を深く洞察し、印象的なエピソードを残している。

生涯をアマチュアで通した三好氏のプレーぶりは、ひとり黙々とコースを相手に手固くボールを運ぶタイプで、人にゴルフを教えることを好まなかった。

「他人のスウィングを見て、自分の参考になるものを盗む。あとは努力してそれを身につけるのがゴルフです」

そういって教えを拒み続けた人である。いまも我孫子でご健在の小山三雄氏（サンゴルフ会長）は、若いころ何度か三好徳行氏と対戦したが、ねばっこいゴルフには勝てなかった。あるとき小山氏は、教え嫌いを承知の上で、意を決してたずねてみた。

「三好さん、ゴルフで一番むずかしいのは、いったい何でしょうか？」

三好氏はしばらく考えていたが、やがてこう答えた。

「歩き方です。無意味にだらだら歩いてはいけません。歩きながらリズム、テンポ、タイミングを整え、次打のために呼吸と考えをまとめます。スウィングが早いと思うときはゆっくり歩き、調子が悪いときは逆に胸を張って歩きます。18ホールを同じリズムで歩き続ける、簡単なようであって、実は一番むずかしいことです。いいゴルファーは歩き方も美しいものですが、駄目なゴルファーは背を丸めて無意味に足を運ぶだけで、思慮のための時間をいたずらに浪費しています」

たった一度だけ教えてくれたのが、歩き方だった。当時小山氏はハンディ2の腕前だったが、この言葉をゴルフの極意と考え、歩き方から勉強し直したそうである。そういえば、1組のパーティーがホールアウトして次のティに向かうとき、先頭を歩くのが1パットの人、末尾にうなだれて歩くのが3パット、4パットの人。歩く姿にもスコアは表れているものである。

さて、高校を卒業した足で川越CCに中村寅吉プロをたずね、プロゴルファーへの道を歩みはじめた1963年から、樋口さんはどれほどの距離を歩いてきたのか。途中、出産のために1年8カ月のブランクがあるので、それを差し引いて計算を始めた。

女子プロの場合、試合は平均して6300ヤードの距離で行われる。この数字はホールの中央を直線で計測したもので、プロとて真ん中ばかり歩くわけではない。さらに、次のホールに移動するための距離と、プレー中の行ったり来たりが欠落しているので、実際に歩く距離はプロで3割増し、アマで5割増し、ビギナーならば、そう、10割増しという人もいるはずだ。

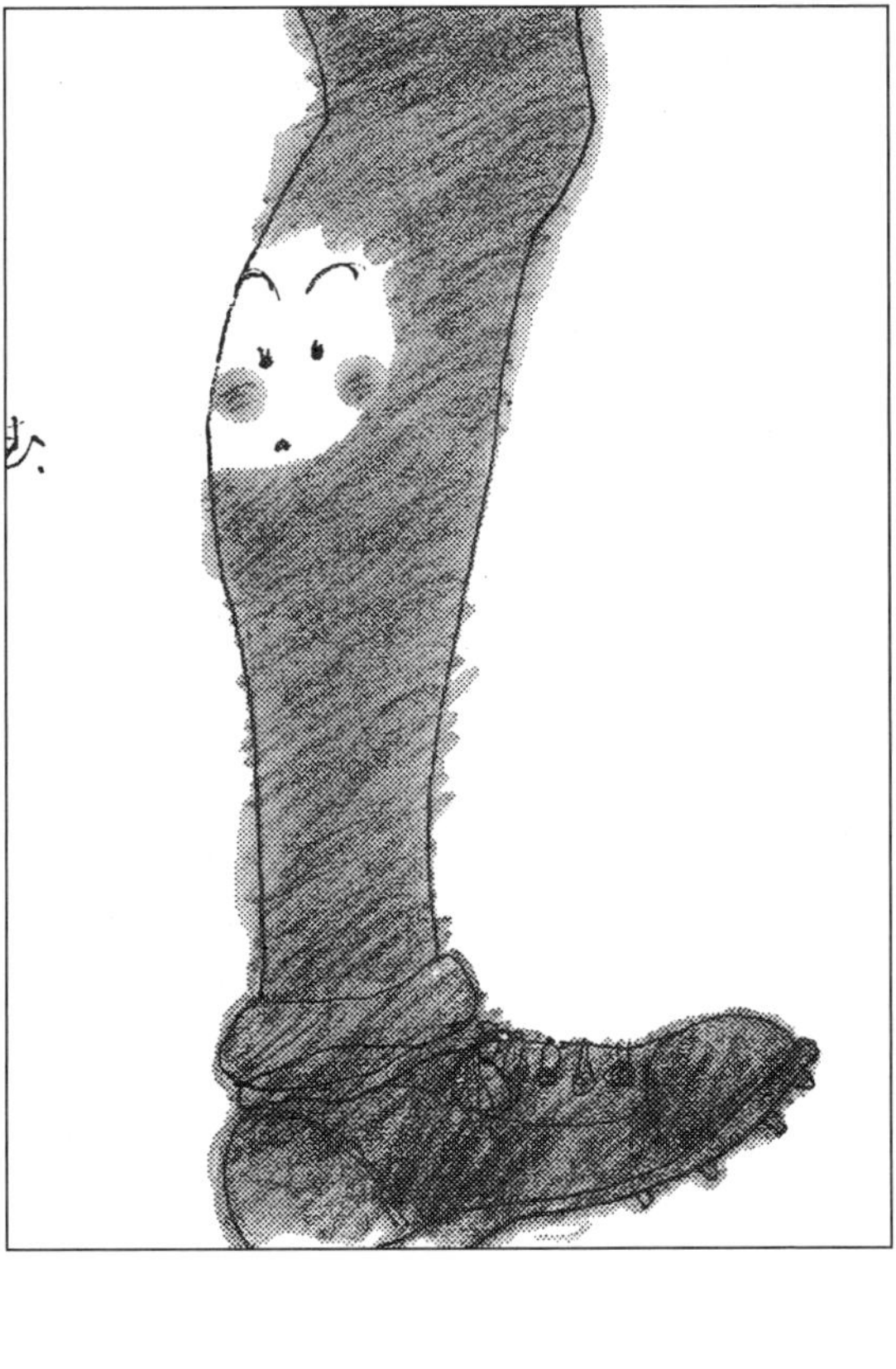

ざっと計算して、女子プロが1日のゲームで歩く距離は7300メートル、約7キロ強と考えられる。シーズン中、試合は通常3日間、まれに4日間、それに練習ラウンド、プ

ロアマ親善試合といった付録も考慮に入れると、4月から11月末までの8カ月間に、少なくとも128ラウンド、多いときには135ラウンドを消化しなければならない。

シーズンが終わってからも、トッププロには息つくひまもない過密スケジュールが待ち受けている。正月の数日だけスパイクをぬいだという年もある。年間7勝した1973年、全米女子プロを制覇した1977年あたりの記録を調べてみると、オフの練習を含めて、樋口さんは年間260ラウンド近くも歩き続けている。

さて、詳細な数字はこの際はぶくとして、27年間、トップの座からゆるぎない樋口久子プロのこれまでの総ラウンド数は、およそ「5300ラウンド」、1ラウンド7300メートル歩くとして、総歩行距離はなんと3869万メートル、「3万8690キロ」に及ぶ。これは1周4万キロの地球をすでに9割以上も歩いた計算になる。あと数年以内に、地球1周踏破の日がやってくる。

電卓を叩き終わって、私はエリを正しながらつぶやいた。

「やっぱり、樋口さんはすごい人なんだ。あの、へこたれない2本の足に、拍手！」

ハンディキャップを返上した、勇者たち

人生では、自分に備わったものを有効に使った人が、成功をおさめる。その典型的な例として思い出すのが、1985年のロッテルダム・マラソンで、2時間7分11秒という驚異の大記録を出したカルロス・ロペス選手の場合である。

偉大なるこのランナーの告白によると、市場の店先から一瞬のうちに品物をくすね、脱兎のごとく逃げ回る「かっぱらい」を覚えたのが5歳のとき。必死で走っているうちに、あるとき、自転車で追いかけてくる警官より自分の足のほうが速いと気がついて、将来はオリンピックで走りたいと夢を抱く。

10歳のころになると、200メートルなら自動車よりスピードが出る逃げっぷりに大人たちが感嘆し、ロペスをちゃんとした学校に入れて、ポルトガル随一のランナーに育てようと相談がまとまる。2時間7分11秒の発端は「かっぱらい」に始まり、ロペスは自分に備わったものを有効に使うことで世界一の座を手中にした。

それが長所であれ短所であれいま現在のあるものを上手に利用して未来につなげるのが「知恵」というやつ、これはロペスに限った話ではない。もし自分の体に不自由なところがあったならば、それを利用してこそゴルファーというもの。

1970年代の前半まで全英アマで活躍したジョージ・ファーガスンは、当初、それほど注目された選手ではなかった。20位から60位ぐらいまでの平凡な成績の者を「詰め物《パッド》」と呼んでいるが、彼は典型的なパッド族の一人だった。

62年の冬、ファーガスンは単車でスリップ事故を起こし、右足複雑骨折の重傷を負って6カ月も入院、それからリハビリに励んだが、試合に戻るまでには2年の歳月が流れていた。

ところが、彼の身に奇跡が起こったのだ。周囲の危惧をしり目にショットは安定し、以前より高い弾道でピンをデッドに攻めて、たちまちいくつかの試合で優勝争いにからんできた。

「病院で、なにか特別な治療を受けてきたのかね？」

記者団の質問に、彼はズボンを上のほうまでまくり上げて答えた。

「ご覧の通り、右ひざは大手術。ギプスをはめているあいだに右足全体が3センチも縮まってしまった。これでゴルフにおさらばかと覚悟を決めて、試しにボールを打ったところ、どうだろう、惚れぼれするような打球が飛ぶではないか。考えてみてくれよ、ぼくはいつも理想的なアップヒルライから打っていくことになるんだ。いまでは心からケガに感謝しているよ」

もう一人、アルゼンチンのプロで、1979年の英国プロ選手権を制したビンセント・フェルナンデスをご紹介しよう。右足が少し短く生まれついた彼は、いろいろなスポーツに手を出してみたがうまくいかず、暗い青春時代を迎えようとしていた。

あるとき、ガールフレンドのマリアが、1枚のスウィング写真を持ってデートにやってきた。そして息を弾ませこういった。

「あなたには天賦の才能があったのよ。ほら、これを見て！　みんな無理に右肩を低くしてボールを打とうとするけど、あなたは生まれつきボールを打つのに最適な構えをしているわ。ゴルフよ、あなたは天性のゴルファーだったのよ！」

ビンセントは、マリアの言葉に触発されてゴルフを始め、3年目でプロになり、4年目には早くもヨーロッパツアーで初勝利をおさめたのだった。

いうまでもないことだが、いま二人のあいだには七人の子供がいる。彼もまた、いくらかのアップヒルライからボールを打つ幸運に恵まれた一人である。平らな場所よりも、わずかにアップヒルぎみのライから打ったほうが、高くて球筋のきれいなショットが出やすいことは衆知の通りだ。

障害に敢然と立ち向かった偉大なゴルファーを、私はたくさん知っている。義手、義足、片眼失明のシングル、人工透析中のクラチャン、事故で左指3本を失ってからシングルになった人もいる。

彼らは常人の何倍、何十倍という猛練習を重ね、創意工夫に明け暮れ、自分に残されたものを最大限に活かして一打に全力を傾注する。その姿はまさに感動的であって、五体満足でいながら練習を怠け、あれこれいい訳ばかりしているゴルファーが、なんとも情けない限りだ。

バルタスロールで行われた1954年の全米オープンには、ベン・ホーガンやボビー・ロックといった強豪が出場し、2日目を終わって5打差以内に17人がひしめく大混戦となった。その中から抜けだしたエド・ファーゴルは、必死に追いすがるジーン・リトラーを1打差でふり切って、見事ビッグタイトルをものにした。

彼もまた、子供時代に遭遇した交通事故の後遺症で左腕の筋肉が萎縮し、7センチも短いままゴルフを始めたが、これがなんとも具合いがよくて、優勝したときも、

「もし、私の左ひじが曲がってなければ、全米オープンには勝てなかったろう」

とコメントしたほどである。

「ゴルフでいちばん厄介なシロモノは、左腕なんだ。インパクトからフォロースルーにかけて、スウィングを邪魔するのが左腕、こいつをいかに早く引退させるか、ゴルファーはここで苦労してボールを左右に曲げ続けるが、私の左ひじを見てくれ。最初からもうフィニッシュの形になっているんだ。ボールが曲がらない秘密は、実は私のハンディキャップといわれるものの中にあるわけさ」

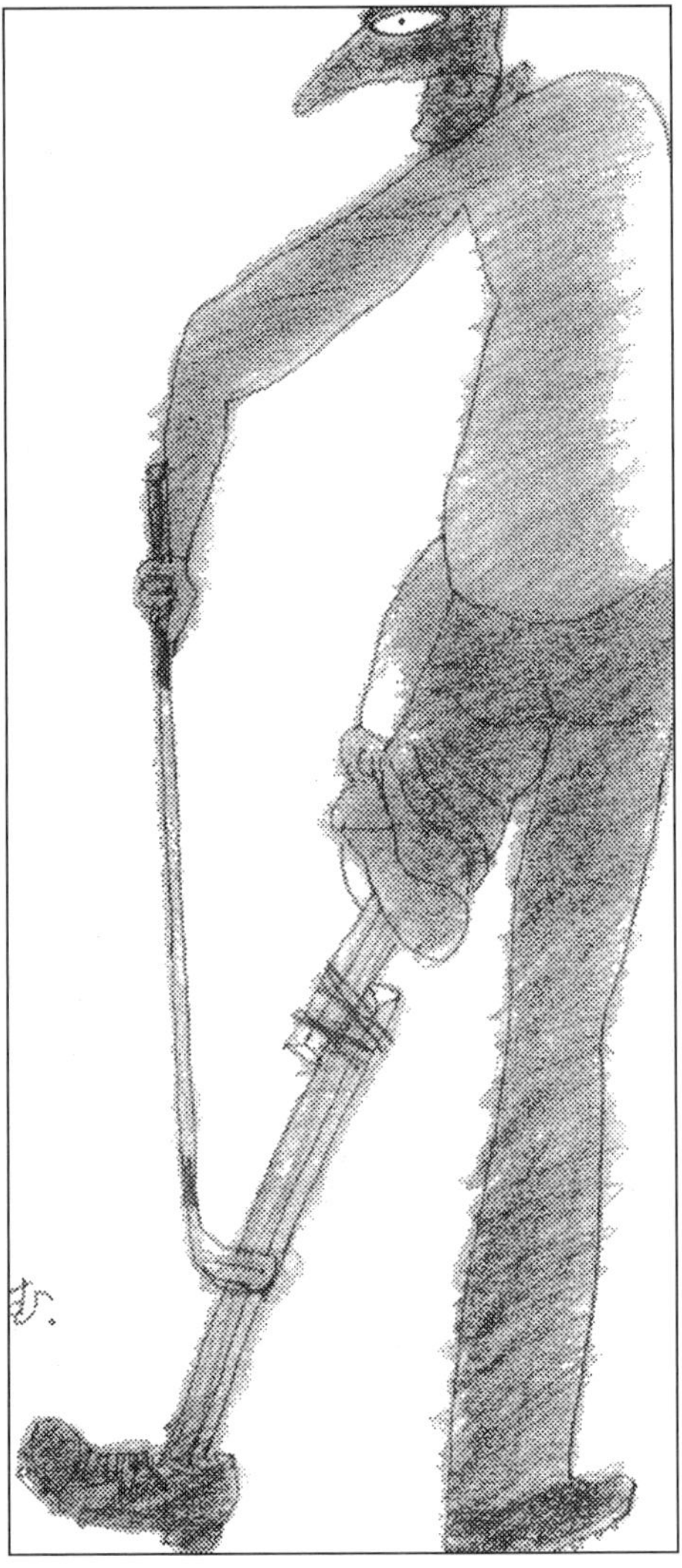

ほかにも、たくさん勇者がいる。両足を失ってからゴルフを始め、全英アマに出場したダグラス・ペイダー、右足に小児マヒの後遺症を持って全欧アマの決勝まで進んだレジオ・ステグラ。かつてプリンシパルGCのクラチャンになったボブ・サークレットは、左腕のひじから下を戦争で失ったために、右手1本で並みいる強豪をやっつけた。彼らこそ、ゴルフにおける真の勝利者だ。

ところで、ベン・ホーガン、ケル・ネーグル、ジョニー・ミラーは、もともと左ぎっちょだった。セベ・バレステロスは右手が5センチも長く生まれついたおかげで、いとも無造作に理想的なアドレスを作ることができる。セベの体は、ゴルフをするために生まれたようなものである。

トーナメントも終盤に近づくと、各選手とも途中に掲示されているリーディングボードの数字がしきりと気になるものだ。アンダーパーは赤の文字で、オーバーパーは黒の文字で。

調子の悪い選手は、赤い文字から強いプレッシャーを受けるというが、ジャック・ニクラスだけはまったく動じたことがない。その通り、この帝王はかなりの色盲なのである。

ライは、嘘をつかない

まったく奇妙な符合だが、ボールの置かれた位置や状態と、人をだます嘘は、英語で同じ「lie《ライ》」である。なぜこんな具合いになったのか、言語学の権威にたずねたところ、

「きっと、ライを改善した誰かが、何もしていないと嘘をついたんでしょ」

と、軽くいなされてしまった。言葉のミステリーである。

大自然の中で小さなボールを叩いていれば、ときには「嘘ッ！」と叫びたくなるようなライにも遭遇する。ベルンハルト・ランガーは、木の切り株の上に止まったボールを3番アイアンで打ったが、グリーン手前のバンカーに落として、そのホール、ボギーにしてしまった。

「お菓子のバームクーヘンの上からショットした気分だよ」

とランガーは周囲を笑わせたが、これが貴重な体験となって、1981年のベンソン&ヘッジズでは、木の股から絶妙にボールを払い落としてグリーンに乗せ、2パットのパー

で危機を脱した。しかし、この手のトラブルでは、なんといってもパーマーにかなう者はいないだろう。

それまでにも、ギャラリーのランチボックスの上からウェッジでグリーンに運び、6メートルのバーディパットを沈めてみせたり、OB杭の内側に寄りかかっていたボールをパターでひっぱたいて、30ヤード先のグリーンに乗せるトリックショットを披露していたが、1964年のオーストラリアン・ウイルス・マスターズの9番ホールでは、ついに歴史に残るスーパーショットをやってのけた。

パーマーの第1打は、あろうことか巨大なゴムの木の股にちょんと乗ってしまったのである。その光景はクスクス笑いを誘うに十分なほどエロチックであり、パーマー自身、ライを偵察に行って思わず吹き出してしまい、キャディに、

「この木はオスかね、それともメスかね?」

とたずね、そのジョークに自分でも笑い転げていた。やがて1番アイアンを手に、再び6メートルの高さまで登っていき、枝に足をからめ、フェースを逆にして慎重に狙いを定めると、

「パシッ!」

ボールは見事に打ち出されて小枝のあいだを抜け、130ヤードほど低く飛んでからグ

リーンにトントンとかけのぼっていった。まさに信じられないリカバリーショット！　これだけでも狂喜する観衆を前に、彼は次のパットを一発で沈めてみせたのだから、もう大変な騒ぎ。まったくパーマーは大した役者だ。

さて、熱帯に近づくに従って、ゴルファーの前には予想もつかないライが出現する。とくに年々人気が上昇しているアフリカンツアーでは、ルールブックのどこを探しても出てこない障害物があまりに次々と押し寄せるので、そのたびに役員を呼んで裁定をあおぐのが面倒になる。そこで選手はスタイミーになるゾウガメの上をウェッジでポンと越してみたり、地蜂の巣の上にあるボールを素早く打って、あとは一目散に逃げ出したりする。

ルールを拡大解釈するならば、思わしくない足場はさけることができるだろう。しかし、アフリカ屈指のアマ選手、ロン・ギャラハーが考えるには、たとえ地上の全人口を納得させるだけの理由があったにせよ、天変地異が当たり前の大自然相手のゲーム、ライは神が定めたもうた神聖な場所であって、不浄な人間がみだりに、かつ自分に有利に変えるなどもってのほかだ、と。

ロン選手は、この信念に基づいて、1952年の第1回セネガル・オープンの3日目、自分のボールが川岸近くの丘の上に作られたワニの巣の中に飛び込んだときも、救済を求めようとはしなかった。万事にのんびりしたこのあたりのコースでは、OB杭があったりなかったり、ロン選手が打ち込んだ場所も、アフリカ特有の「あいまいな地帯」だった。もちろん彼はためらうことなく7番アイアンを手に、巣のヘリで足場を固め、見事なスウィングでボールをフェアウェイ中央に打ち戻した。次の瞬間、背後から音もなく忍び寄ってきた親ワニが、ロンの尻のあたりにガブリと噛みついたのだ。

その場所が丘の上だったことも幸いして、彼は下まで転がり落ちて九死に一生を得たが、しかし、一瞬のうちに喰い千切られた200グラムほどのお尻の肉は戻らず、ロンが再びゲームを始めるまでには3年を要した。

OB、スリーパット、悪いライ、ゴルファーを腐らす3大要素の中でも、とくに他人から被害をこうむる悪いライほど逆上させられるものはない。ディボット跡の底に沈むボール、荒し回って打ち逃げしたバンカーの惨状、グリーン上のスパイク跡。できることなら「犯人」を逮捕して、その場で打ち首にしたいところだが、イギリスのベテランゴルフ記者クリス・ドーソンによると、コースを荒す真犯人は、

「意外に思うかもしれないが、実は、あなただ！」

と断定する。そう、ご明察の通り、あなたがディボットを元に戻し、バンカーを修復し、ホールアウト後にスパイク跡をきれいにしてくれれば、ぐるり運命はめぐって、この世から悪いライは消滅するというのが彼の論理だ。

しかし、それでも不可抗力のライが存在するところがゴルフの妙味。私がこれまでに聞いた中でも最高傑作の珍プレーは、信じ難きライの上で発生した。

ティアップとホールアウト以外、絶対ノータッチという申し合わせの中で、Kさんたち四人は箱根のコースをスタートした。以下はKさんが会報に寄稿した一文の借用である。

「11番ホールのグリーン近くまできたとき、思わず我が目を疑いました。仲間のSのボールが、比較的新しい動物の糞の上にのっかっているではありませんか。それはもう、なんともいえない光景でした。

〝あのう、アンプレヤブルでもいいかな？〟

〝だめだめ！　申し合わせを忘れたのか〟

〝あるがままの状態でプレーしていただきましょう〟

情無用のわれら三人は、Sの申し出を一蹴しました。彼はいまにも泣き出しそうな顔で、ともかくこの難局に立ち向かう覚悟を決めたようです。ピンまでの距離は30ヤード、ボールをクリーンに打って、ヘッドをパッと止めるランニングを意図したらしく、しきりにその練習を始めました。

〝たのむから、あんまり散らかさないでくれよ〟

〝おれは、エクスプロージョンがいいと思うね〟

悪友が口々にはやし立てる中、いよいよ彼は糞をハタと睨みつけ、それから息を止めて小さなスウィングが始動しました。

次の瞬間の出来事ときたら、おかしくておかしくて、われわれは悶絶寸前の状態で芝生の上をのたうち回り、死ぬほど笑い続け、打った本人も最初はボウ然としていたのですが、たちまちクラブを投げ捨ててこちらに走り寄り、それこそ声も出ないほど笑って、笑って、笑いころげたのでした。

たしかにボールは打たれたのです。それは間違いありません。ところがボールはフェースにくっついて、前に飛ばなかったのです」

15本目の、秘密のクラブ

人間は、いつか思い出のなかに埋もれて静かな時間を過ごすことになる。無我夢中でクラブを振り回していた情熱の時代には、スコアの計算に追われてゴルフという名の恋人の素顔など見るヒマもないが、やがて安楽椅子《アームチェア》に座る時間が長くなるにつれ、楽しかったプレーのあれこれが思い出されて、そのとき初めてゴルフとめぐり逢ったことの幸せを実感する。そういうものらしい。

「もしゴルフと出会っていなかったら、私の人生はどんなものだったか、考えるほどに恐ろしくなる。いま、自分の人生を振り返ってみると、私はどうやらゴルフを楽しむために生まれてきたようだ」

94歳で亡くなる直前、作家のP・G・ウッドハウスはこう語っていた。

日本ではゴルフの歴史が浅いこともあって、ウッドハウスの名前に馴染みは薄いが、「サー」の称号を持つ英国出身の作家で、第二次大戦後アメリカに移住、ゴルフをテーマにした小説を多く書いている。

なかでも短篇の秀作31篇を集めた『ゴルフ大全』が有名だ。日本ではその一部が『ゴルフ人生』と改題されて、日本経済新聞社から刊行されている。

ウッドハウスが描いたゴルフ世界は、なんとも不思議な魅力に満ちている。ゴルフに狂った主人公が、ようやく愛する女性を胸にかき抱いてふと気がつくと、インターロッキンググリップで抱きしめていたという話。

妻からゴルフ禁足令を申し渡された男が、一人でこっそりプレーしていると、世界でも屈指と評判のタフなショートホール215ヤード、パー3でホールインワンを達成、誰にもいえない口惜しさで大地を掻きむしる話。

彼の小説の主人公たちは、ゴルフというゲームに宿っている微妙な偏執的狂気におかされているが、よくよく考えると、それは私の姿であり、あなたの姿だと気がつくのである。

たとえばパットが不調でノイローゼになった男が、はるか遠くの原っぱで蝶がたてる「騒音」に気が散って、ついに10センチの短いパットまではずしてしまう話を、私たちは笑うことができるだろうか。

あるいは、家庭と仕事の両方で「理想的人物」を演ずる男が、どこでストレスを発散させるかというと、「血相変えてクラブを振り上げ、ボールに猛烈な損傷を与えることに骨身を惜しまない」その行為によって、かろうじて発狂もせず、バランスを保って人生をまっとうするのだと教えられ、ゴルフの考え方まで変わってくるのである。

ウッドハウスの文体は、虹のように華麗で変化に富み、気のきいた語り口と暗喩《あんゆ》に満ちている。たとえば、

「ゴルフが有する最大の長所は、ミスをすることによってある種の反省と謙虚な心を惹起《じゃっき》させてくれる点にある。後期ローマ皇帝に見られる狂気の傲慢さは、彼らがまったくクラブを握った経験がなく、従って、チップショットをトップしてしまったときに生ずる不気味で不快な感情を抑制する謙虚さを知らなかったことに起因する」

「あの高慢ちきなクレオパトラが、もしゴルフの女子選手権の1回戦であえなく敗退していたら、私たちは彼女の悪評高き専横ぶりを耳にする機会も少なかったはずだ」

「女たちは、この世で愛が最高のものだと盲信しているが、愛より崇高で気高いものがあることを知らない。女はただの女にすぎないが、力強いショットは、どこまで飛んでいくかわからない楽しみがある」

「深いバンカーの底で、すでに5回も砂を叩いてもなおボールが上がらないゴルファーに比べれば、刑の執行日が未定の死刑囚など、のどかな人生を送っている一人だ」

「人生における安堵《あんど》とは、自分の打ったボールが深い深いラフめがけて飛んで行き、岩に

ぶつかってフェアウェイにはね返った状態をいう。これ以上の安堵があるだろうか」

ウッドハウスの小説には、決まって入り組んだ恋愛が描かれている。その構成が型通りだと酷評する評論家もいるが、彼は恋愛を小道具に使ってゴルフを書くのが目的だから、型通りは計算づくだったにちがいない。要は小説の結末が問題なのだ。

ゴルフ嫌いの女性とゴルフ狂の男が愛し合って、ついに女性はクラブを振る破目になり、たちまちゲームの虜《とりこ》になる。やがて誕生した我が子に、彼女は「エイブ・ミッチェル・リブ・フェースド・マッシー・バンクス」という長い名前をつけようと主張して大騒ぎになる。1920年の全英オープンで準優勝したプロの名前で、彼はマッシーの天才的な使い手だった。この滑稽な結末のために、恋愛は不可欠だったのである。

ゴルフ場の幻想的な光景を描いた小説「誰もが〝フォア！〟と叫んだ」の冒頭、クラブの老人たちがベランダの椅子に座って、朝もやの中のホールを眺めながら、これから始まるゲームに思いを馳せ、静かに紅茶をすするシーンのように、晩年のウッドハウスは自分のお気に入りのコースに出向いてはベランダに座り、飽きずに18番グリーンを眺めていたそうだ。

亡くなる2年前、1973年の秋に、R・ジェイコブスというゴルフコラムニストのインタビューに答えて、ウッドハウスは自分がこよなく愛したゴルフの本質をこう語っている。

「このゲームは、皮肉と諧謔《かいぎゃく》に溢れ、1ホールの中に人生のすべてがある。ゴルフを理解するためには、だからもう1本の秘密のクラブを用意しなければならない。それは〝知性〟という名の、目に見えないクラブだ。

そいつがパターより大事だってことに気づかない限り、その人は二流のタマ打ちに終わってしまうだろう。秘密のクラブを備えた人物をゴルファーと呼び、それが欠落した者をタマ打ちと呼んだのは、私の友人のホーソンだがね」

「ゴルフは、知性のない人間に似合わないゲームだ。これだけははっきりしている。皮肉と諧謔をくみ取るだけの感受性がないとしたら、あとに残るのは4とか5とか6とか、ただ数字遊びになるだけだ。こうした数字だけに執着する人種には、ゴルフというゲームは永遠に不可解な謎として残るだろう。世の中には、百科事典を飾る人と読む人がいる」

「90歳の誕生日に、私はプレーした。おどろいたことにパッティングが上達しているではないか。これまでのゴルフ人生で最高のフィーリングだったよ。きっとゴルフという偉大なゲームが、90歳の誕生祝いにプレゼントをくれたのだと思った。この年になると、ゴルフに対する畏敬の念は深まるばかりだ」

「ゴルフにめぐり逢えて本当によかったと、私はいつも神に感謝している。ミスショットばかりしていたおかげで、どうやら人間の道を踏みはずすことなくここまで生きてこられたと思っているよ。本当にゴルフというのは凄いゲームだ。願わくは、夕暮れの中に静かに広がるコースを眺めながら、眠るように死にたいものだね」

オスの「かたつむり」が行く

ゴルフの漫画とジョークの世界にも、これさえやっていれば必ず男性読者の満足が得られる定番がある。そう、女性のゴルファーを徹底的におちょくるのだ。たとえば、こんな具合に。

「あなた私のキャディさん？」

「はい。よろしくお願いします」

「あなた、視力は？」

「いいほうだと思いますけど」

「じゃ、そのへんでロストボールを10個ほど見つけてきてちょうだい。そしたらゴルフを始めましょ」

＊

「ダフったら、こんなに芝生が取れちゃったわ。これ、どうしよう」

大きく削られた芝を見たキャディさん、いまいましそうに、

「お宅に持って帰って、その上でもっと練習なすったら！」

＊

なにか一つのことを始めると、女性は、とても熱心にそれをやり遂げる長所を持っている。

石油で巨万の富を築いた大富豪の二度目の妻は、若くて美人、ゴルフに夢中だった。友人とプレーするよりも、一人でコースに出向いては専属のハンサムなレッスンプロとラウンドするのが好きで、ほとんど毎日のコース通い。あまりの浮かれように、ふた回りも年齢がちがう大富豪、さすがに心配になって、ある日運転手に尾行を命じた。

夕方になって、夫人よりひと足早く戻った運転手がご注進。

「奥様とレッスンプロは、ゴルフなどそっちのけ、茂みの奥へと走り込んだままでした」

「やっぱり！　して二人の仲はいつごろからであろうか」

「あのレッスンプロの尻の焼け具合から察しますと、ほぼ半年ほど前からではなかろうかと」

＊

奇妙な偶然だが、車を運転する女性ドライバーと、女性が打つドライバーに対して、男

たちは共通の嘲笑を浴びせてきた。日ごろの女どもにまつわる恨みは、ゴルフで晴らせといわんばかりに。

なかでも女性のスロープレーに関する小噺ほど男たちをよろこばせるものはない。お仲間が茂みの中を這い回って、必死にボール探しをしているというのに、フェアウェイの女性三人は手伝おうともせず、もう20分以上もおしゃべりを続けている。たまりかねた後続組の男性が行って、一緒にボール探しをしたらどうかと忠告すると、

「あら、あのかたが探しているのはボールじゃなくて、クラブなのよ！」

といった手合いの話から、パットに時間をかけすぎて、いざ打とうとしたらクモが巣を張り終わっていた話など、これでもかとスロープレーを笑いのめし、どこかで女性ゴルファーをひそかに侮蔑している気配である。

フェミニズムの国アメリカのゴルフ雑誌でさえ、「女性のプレーは大きく3つに分けて、①おそい、②とてもおそい、③とてもとてもおそい。この3つの中で、問題になるのは③である。①と②については、通常、男性は寛大に考えているので、あえて特集するまでもないだろう」

といった意地の悪い書き方で③をテーマに据えて、やはりスロープレーをからかったこともある。

本当に、女性だけがスロープレーだろうか。ジョークの世界から視線を上げて、ごく最近プレーしたときの先行組の様子を思い出していただきたい。どうだろう、あの歩き方、でれでれと溶けかかったゼラチンのように、あるいは二日酔いのナメクジのように、コースを左右に漂いながら、ようやくボールのところにたどり着くと、今度はクラブをとっかえひっかえ。アドレスまでが長いと思ったら、それからボールを打つまでがさらに長い。

ニクラスでも怒りだしそうなほど時間をかけて、ようやく振ったらこれがチョロ。それまでの長い時間は、チョロを打つための準備だったのかと、見ている者は血圧をあげる。

グリーン上がさらにいけない。テレビで見た通りにすることが「手順」だとカン違いしているから、カップの向こう側に行ってしゃがみ込まないと気が済まない。挙句は1メートルの短いラインまで、

「キャディさん、これ、どっちに曲がるの？」

聞かなければ1メートルも打てない根性なし。そんな程度だからキャディに軽く扱われて当然なのに、

「きょうのキャディは、最悪だった」

と責任転嫁して恥じるところがない。そもそも狙ったラインに百発百中打てる技術があればともかく、グリーン上では直感と第一印象にまさるものはない。

ボールを打つまでに時間をかけすぎると、その間、右足から不安が、左足から緊張がジワジワと這い上がって、ついには金縛りになるのをご存知ないか。

かくして、たったの9ホールを回るのに、いまや2時間半から3時間を要するようになった。18ホールでは1日仕事だ。ゴルファーが颯爽とフェアウェイを行く時代は終わり、いつの間にか芝の上をナメクジがぬたくるご時勢を迎えた。それでも女性だけがスロープレーだといい続けるつもりだろうか、諸兄。

ちなみに、これまでの1ラウンド最短時間記録は1980年12月、オーストラリアのゲイリー・ライトによって達成された28分9秒である。30分以内に18ホールをきっちりプレーして、彼はアウト「44」、イン「42」で回っている。

反対に、最長記録を調べてみると、これがなんと男性なのである。1972年、オーストラリアのロイヤル・メルボルンGCで行われたワールドカップの第1日目、南アのゲーリー・プレーヤーを主将とするチームが18ホールをラウンドするのに要

した時間は、実に6時間と45分だった。

プロは途中で食事をとらないから、これは正味プレーした時間である。

さらに特筆すべきは、これだけのスロープレーに対して、役員のだれ一人としてペナルティを課す者がいなかったことである。あとになって物議をかもしたとき、ジャーナリストのD・スティールは次のように書いた。

「もしゴルフコースに、自分のことしか考えないエゴイストが氾濫したならば、そのとき偉大なるゲームは死に絶えるだろう。いま、その前兆が近づきつつある」

暗くなる前に、電気をつけようではないか。いわれなき女性ゴルファー差別など、口にする資格が男性にあるとはとても思えない。

いまや長風呂、長電話、ゴルフのスロープレーは、主役交代、男性があいつとめる時代になった。この事実から目を外らそうとするのは、あまりに身勝手というものだ。

ゴルフ・シネマ・パラダイス

映画「007・ゴールドフィンガー」の中で、ショーン・コネリー扮するジェームス・ボンドが、ゴルフ場でゴールドフィンガーと対決する場面がある。とかく添え物的にしか扱われないゴルフだが、このシーンはなかなかに圧巻だった。

それもそのはず、原作者のイアン・フレミングは、サンドウィッチにある全英オープン開催コース、ロイヤル・セントジョージズの会員でシングルの腕前だった。ショーン・コネリーも、名門ロイヤル・アンド・エインシェントのメンバーで、かつてはハンディ12までいった飛ばし屋だ。堂に入って当然のわけである。

クリント・イーストウッドやシルベスタ・スタローンは、ボクシング映画で大当たり。野球ではゲーリー・クーパーがゲーリッグを演じた「打撃王」や、近いところではロバート・レッドフォードの「ナチュラル」、忘れ難き名作「フィールド・オブ・ドリームス」などが目白押しだというのに、なぜかゴルフ映画では、ベン・ホーガンの人生を描いた

「太陽を追って」（Follow The Sun）だけが突出していて、ほかに評判作が見当たらない。

渋いグレン・フォードが扮したベン・ホーガンは、自動車事故で瀕死の重傷を負いながら不屈の闘志でカムバック。事故から数カ月後の秋には、ライダーカップの米国主将として足をひきずりながら出場、2年後には全米オープンで優勝する再起の日々を中心に描いたもので、1951年に公開されるや大ヒットした。

この映画を見てゴルフを始めた人も多く、ジョン・マハフィやベン・クレンショーなどは、このころ生まれたにもかかわらず、アンコール上映を見てプロへの道を決心したほど大きな影響を与えた。

闘魂と執念がストーリーの中心だから、ホーガンの正確ショットの秘密を期待しても、それは登場しない。

映画の中のゴルフでは、キャサリン・ヘップバーンとスペンサー・トレーシー主演の「パットとマイク」（Pat and Mike）が、軽快なゴルフコメディとしてヒットした。

オリンピックの陸上競技で2つの金メダルをとって、プロゴルファーに転向、短い期間に31勝も勝ち続け、53年にはガンの手術を受けたが、翌年の全米女子オープンでは2位に12打の大差で優勝した偉大なる女性、ベーブ・ザハリアスをモデルにしたものだが、ストーリーは女性万能選手と彼女を好いているマネージャーの恋のゲーム。

１９５２年に公開されたが、この映画には全盛時のザハリアス自身と、ほかにも当時の代表的選手パティ・バーグなどが出演して、男性顔負けの長打を披露しているのが興味深い。

ザハリアスのスウィングは、ゆっくりしたテークバック、腰の回転にまかせたダウンスウィング、そしてインパクトからフォロースルーがとにかく早いのである。

映画が公開されてから4年後の１９５６年９月、完治しなかったガンのため、彼女は45歳の若さで亡くなった。

ディーン・マーチンとジェリー・ルイスのドタバタ・コンビ映画の１本に、「底抜けやぶれかぶれ」（The Caddie・１９５３年公開）という作品がある。マーチンは二流のツアープロ、ルイスはことゴルフに関しては博士号がとれるほど深い知識を持っているのに、肝心の動作が伴わず、やることなすこと間が抜けているキャディ役。

この映画でもサム・スニードをはじめ何人かの有名プロが顔を見せているが、マーチンは演技の必要上、トッププロについて１カ月特訓を受け、撮影が終わって数カ月後にハンディ14を取得するまでになった。

古いところでは、W・C・フィールズ出演の「ゴルフ・スペシャリスト」（The Golf Specialist・１９３０年）、E・ホーク主演の「ゴルフが大好き」（I love Golf・１９３１

年）という2本がある。

どちらもゲームの方法と初歩的な打ち方がテーマで、レッスンものの映画では、いまビデオで発売されているボビー・ジョーンズの「ゴルフの基礎」（The Fundamental Golf）に遠く及ぶものではない。

タップダンスの名手、フレッド・アステアにも「気儘時代」（Carefree・1938年）というゴルフ映画がある。

劇中、民謡のロックローモンドを歌いながらスウィングすると、ヘッドがのんびりしてボールが飛ばず、そこでタップのビートに変えると飛距離がグーンと伸びる。

5個のボールを並べておいて、扇風機のようにクラブを振ると、ボールはすべてフェアウェイのど真ん中、というのが映画のフィナーレ。他愛なくもかわゆいお話が多かった時代だ。

シド・フィールド、ジュリー・デズモンドといっても、日本では馴染みのないスターだが、この二人が演じた「ロンドンの街」（London Town・1939年）では、ゴルフ場で知り合った男女が、プレーを重ねるたびに相手を好きになっていく。

しかし勝負は負けたくない。お互い意地の張り合いが続いて、あるとき女性の母親が、「強がる女は恋に勝てない」とさとす。

彼女はスリーパットして勝ちをゆずるかわりに彼を獲得、ハッピーエンドを迎える。

正直いって、恋愛時代ならいざ知らず、夫婦でゴルフは喧嘩の火ダネになるばかり。還暦まで夫婦は一緒にゴルフをしないほうが幸せでいられると信じている私から見ると、この「ロンドンの街」の男女が、最後に1番ティで結婚式を挙げ、その足でスタートしていく姿は変態そのもの、前途多難を連想させる。

ゴルフ狂のボブ・ホープが、1年がかりでアーノルド・パーマーを口説いて出演させたのが「腰抜けアフリカ博士」(Call me Bwana・1962年)という映画。

アフリカの密林の中でホープがばったり出くわした相手がパーマーで、とくにゴルフが重要なテーマになっているわけではない。ただパーマーを映画にかつぎ出したかっただけの話。

もう一人のゴルフ狂、ビング・クロスビーは、ときどき映

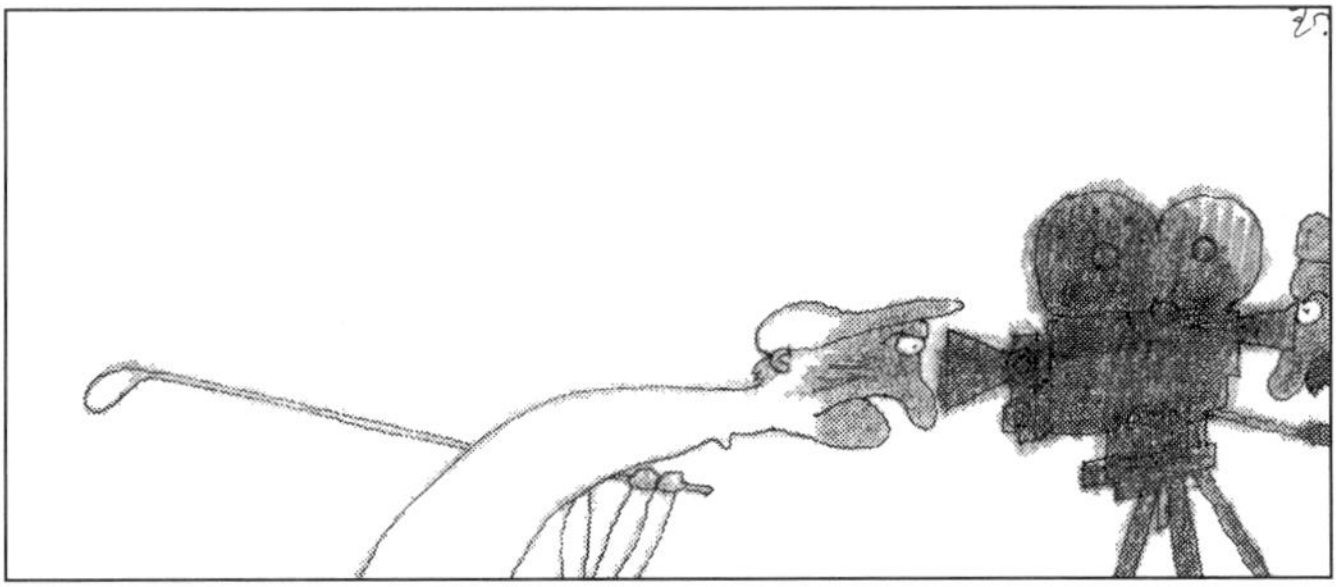

画の中でクラブをいじる程度だったが、本人は全英オープンに出場したほどの名手であって、全米屈指の難コース、サイプレスポイントの有名な16番、太平洋越えの165メートルをホールインワンした二人のうちの一人である。全米アマでは「69」という快スコアを出したことだってある。

クロスビーなら、本格的なゴルフ映画を作るだろうと期待されていたが、なまじゲームの深奥を知っていただけに手を出さず、かわりにゴルフをテーマにした名曲をヒットさせた。

お馴染みの「真っすぐな快打」(Straight down the Middle) がそれである。

映画「ロッキー」や「ダーティ・ファイター」の中身をゴルフにすり替えたとしたら、この偉大なるゲームの背骨が折れてしまうことだけは間違いない。そんな危険をおかしてまでゴルフ映画を見たいとも思わないが、しかし、ゴルフの意外性、スリル、心理劇、挑戦意欲と決断など、夢とロマンに満ちたテーマに不足はない。

いつの日か、きっと「太陽を追って」を凌ぐ名作が誕生するにちがいないと、そんな予感がするのだが……。

幻の、「シカゴ暗黒街カントリークラブ」

「好きなとき、好きなだけゴルフができるオレ専用のコースが欲しい」

親分《ボス》のトリオが難題を持ちだしたとき、若いアル・カポネは反対しなかった。なにか意見をいおうにも、スラム街で悪事ばかり働いて外の世界を知らないカポネには、ゴルフがどんなものか理解できなかったからにちがいない。だからコトもなげに、

「欲しかったら作ればいいでしょ。ドカンとでかいやつを」

と、お追従をいった。（W・マッコイ著『禁酒法のアメリカ合衆国』より）

当時、シカゴの暗黒街では、少なくとも四人の親分が顔を売っていた。その一人、洒落者のトリオは、縄張り拡張に必要な荒っぽい片腕を物色、自分が育ったニューヨーク暗黒街の後輩の中から「スカーフェース」（顔傷男）と呼ばれる暴れ者、アル・カポネに白羽の矢を立て、シカゴに呼び寄せた。とき、まさに1920年、合衆国憲法修正第18条、世に名高い「禁酒法」が施行された年である。

トリオ自身も、大親分ビッグ・ジム・コロシモに呼ばれてニューヨークからやってきたが、コロシモは「ホワイト・スレイヴ」（売春婦）のシマを総括して安定収入を確保するや、金髪の愛人にうつつをぬかす毎日、実際の権力はトリオが握っていた。

禁酒法の施行で、これからはアルコール密売が儲かると主張するトリオに対して、コロシモは、

「女だけ売ってりゃいい」

と、進言に耳を貸さず、二人のあいだには亀裂が生じていた。1920年5月11日、事務所の前でコロシモは何者かに頭を撃ち抜かれて即死、トリオが跡目を継いだ。殺《や》ったのはカポネだといわれている。

トリオがゴルフを覚えたのは、かなり羽振りがよくなってからのことらしいが、自宅の広い庭にバンカーやグリーンを作るほど熱中し、手下を集めた会議中も、絶えずじゅうたんの上でパッティングに耽《ふ》けっている始末。いざプレーに出掛けるとなると、これがひと騒動だった。

そのころ、トリオを消して利権をわが物にしようと狙っていたのが、オバニオン一家、オドネル一家、六人兄弟のギャング、ジェンナ一家など、すきあらば機関銃《マシンガン》でトリオを蜂の巣にしようと、しきりにつきまとっていた。

そこで、機関銃を持った先発隊が十人ほどクラブハウスからコースの茂みまでチェックして、異常なしの連絡を受けると、いよいよ二十人ほどの本隊が出発する。

ボールを打つトリオのまわりには、黒い背広姿の身辺警護隊がぐるりと輪を描き、あちらのブッシュ、こちらのグリーン、向こうの梢、いたるところに銃を持った見張りが立ってなんとも物情騒然たる光景だった。

たまらないのが一般ゴルファー。ゴム製の球ならよけることができるが、鉛のタマは「フォアーッ」といわれても逃げ場がない。

しかも、心からゴルフを愛する人々のあいだを目つきの悪いのがドカドカ歩き回っては、キャディバッグの中には狙撃用ライフルでも隠していないか、逆さに振る乱暴ぶり。

食堂の真ん中を占領して傍若無人に振る舞い、注意するとねちっこく因縁をつけてくるので、コース側もひたすら下を向いて我慢するしかない。ついにはトリオの先発隊がくると、ゴルファーは一斉に引き上げる事態となった。

それでもトリオには多少の人間臭さが残っていたらしく、「迷惑料」と称して過分なグリーンフィを置いていったというから、このあたり、アメリカのギャングはスマートである。しかし、居心地の悪い上に警護の面倒がつきまとう。そこで冒頭のセリフになったというわけ。

トリオがゴルフ場建設の候補地を物色したのは、シカゴ市の南、キャルメット湖からバーナムを抜けたあたりといわれる。市の北側からシセロ市にかけては敵の縄張り、うっかり車で走ることすらままならない。

「9ホールで十分だ。オレはバンカーが嫌いだから、アクセサリーに2つ、3つあればいいだろう。コースには厳重な見張り塔を建てた上で、塀でぐるり囲ってしまえ。塀の内側にはびっしり地雷を埋めろ」

これではまるで刑務所だ。

「それから、ちゃんとした設計家を連れてこい。二流のやつらはオレの趣味に合わねえ」

当時のコース事情を見ると、アメリカには1888年、ニューヨーク州ヨンカーズに唯一のコースがあるだけだった。それから5年後、コースは20に増えた。新しい世紀を迎えたばかりの1901年、ハーパー社が出版した「オフィシャル・ゴルフガイド」によると、この時期には982のコースがあったと書かれている。

ところが、次の30年間に猛烈な建設ラッシュが続いて、1930年の大恐慌のころには、5691にまでふくれあがっている。ちなみに、いまアメリカは再びゴルフブームが到来し、おどろくなかれ、1日平均1・5コース、1年間に500ものゴルフ場がオープンしているというから、ただごとではない。

トリオが、自分専用の9ホールを作ろうと考えたのは、おりしも第一次建設ラッシュの時期と合致する。ブームに触発されたアイデアでもあったようだ。

「一流の設計家を連れてこい」

トリオの命令に対して、アル・カポネは即座に、

「ウォルター・ヘーゲン！」

と叫んだ。

「オレはあの男を尊敬している。やつは最高だ、くに（ニューヨーク）が同じだってことも、オレには名誉なんだ」

このエピソードを紹介したW・マッコイによると、冷血で狡猾《こうかつ》、自分の両親でさえも信じたことがないカポネが、ウォルター・ヘーゲンを尊敬し、同じニューヨーク

出身であることを誇りに思っていたとは、まさにおどろきだと書いている。

ヘーゲンは、１８９２年にニューヨークのロチェスターで生まれ、全米プロ４連勝、メジャータイトル11個、80勝以上をあげたアメリカのスーパースターであり、プロゴルファーの地位向上に果たした功績もまた大な人物である。一方のカポネは、ヘーゲンより７年あとに生まれているが、ほぼ同世代といえる。彼はひそかに熱烈なる声援を送っていたのだ。

ヘーゲンにコース設計の話が持ち込まれたかどうか、それはわからない。トリオはある日待ち伏せに会い、五発撃ち込まれたが一命はとり止めた。その段階ですべてをカポネに譲ってしまい、世にも奇妙な９ホールの計画は水泡に帰してしまった。

ヘーゲンを尊敬していたカポネのこと、当然ゴルフにも強い関心を抱いていたはずだが、四六時中、ＦＢＩと敵ギャングの対応に忙殺されたらしく、ついにクラブを握らなかったのは、まことに同慶の至りである。

1990年の、ゴルファー事情

「ゴルファーならば、だれだってあっぱれな腕前に上達したいと願わぬ者はいないはずです。願うだけでなく、私も含めて努力しているのに、なぜかさっぱり上達しない。なぜゴルフだけがこんなむずかしいのか、じっくり考えた結果、ようやく真相が見えてきました。陰謀です、とんでもない陰謀が大がかりに行われているのです」

「……？」

「たとえば、鰻重《うなじゅう》だって松・竹・梅にランク分けされていますね。要するに巷《ちまた》に氾濫するレッスン書やビデオは、当たり障りのない梅クラスをわれわれに与えて、急速に上達しないように調節しているのです」

「だれが⁉」

「大きな声じゃいえませんが、日米のプロゴルフ協会です。ここのところをよく考えてください。同じ人間でありながら、プロは年齢に関係なくスゴい球を打つ。あれはゴルフの奥義と秘術を記した〝松〟クラスのレッスンをどこかで伝授されているからです。

もしも、その秘伝を一般公開してごらんなさい。たちまち全員が上達して、１０００万人ぐらいがプロゴルファーに転身する。その結果、トーナメントで優勝しても、１位５万円、２位３万円といった事態になる。これは、プロゴルフ協会にとっても、プロにとっても死活問題になるわけですね。だから、なるべく上達させないで興味だけをつないでおく。関係者は〝梅〟しか与えてくれないのです」

暑い季節になると、標高１０００メートルの河口湖畔が恋しくなる。ここの富士桜ＣＣと、富士レイクサイドＣＣにはなかなかに手強いホールがあって、湖面から渡ってくる爽風を受けながら、さてきょうはどう攻めるか、夏富士の蒼《あお》く美しい姿を眺めながらプレーするのが猛暑のころの愉しみである。

コースでは、しばしば見知らぬ人と同伴する機会に恵まれる。Ｇさんもそんなご縁のひとりだった。年齢40歳ぐらい、小柄で饒舌《じょうぜつ》、プレーぶりは、そう、ボールを打ちながら展開し続けるゴルフ論と同じぐらいに、ユニークと申し上げておこうか。

「私は物事を理詰めで考えることが好きな男でして、３年前、ゴルフを始めたときから〝上達の方法〟について日夜研究しております。幸い、仕事のほうは女房がやってくれるのでカネとヒマはある。

これからの人生、どうやって上達するか、生き甲斐をこの一点にしぼってきました。死ぬまでに70台を出すのが私の夢です。それもケジメよく、ぴったり72で回ってみたい！」

Gさんは昼食をはさんで、プレー中もインパクトの瞬間だけ口を閉じるが、あとは私にすり寄って延々としゃべり続けた。その話を総合すると、たしかに陰謀らしきものが見え隠れしてくるから不思議である。

つまり、ゴルフがうまくなるためには、1、プロに習う。2、レッスン書を読む。3、家庭内練習に励む。4、自分に合った道具を見つける。以上4つの要素がうまく噛み合って、はじめて複合効果が現れるものだとGさんは考えた。

そこでまず、家の近くの練習場に通ってグリップから学びはじめたが、3年間で五人のレッスンプロを乗り換えたという。

「だって、おかしいですよ。いい球を打ったときだけ、よしよし。悪いときには、早い早い。五人が五人、こればっかりです。いま六人目の先生のところに通ってますが、なにしろ生徒がみんなプロになったら困るから、当たり障りのないことばかり少しずつ教えてくれるだけで、プロ並みのショットの打ち方は、まったく教えてくれません」

そこで、どこかに秘伝となる書物が存在するのではないかと考えたGさんは、これまでに10回以上も高級車を自ら運転して上京、都内の大手書店のゴルフコーナーのあらましを買い漁った。

「読めば読むほど、疑惑は濃くなるばかり。頭の中は蜂の巣をつついたような大混乱です。いいですか、たとえばボールを置く位置ひとつを取り上げてみても、左足かかとの延長線上は不変であるというプロ、クラブによって位置は変わるというプロ、ばらばらです。まだ打ってもいないボールでさえ、どこに置くのが正しいのか、われわれはいまだ正解をもらっていないのです。ましてやスウィングに至っては百冊百論、どれを信じていいものやら途方に暮れるばかりです」

本を読んでヒントを得ると、自宅の庭に作った練習場に走って行って、深夜であろうとショットを試みる。そのためにナイター設備も用意した。

「アメリカのプロ、日本のプロ、たいていの本は読みましたが、ぼんやりした球の打ち方しか書いてませんね。日米共同歩調というわけです。彼らは絶対に秘訣を教えようとしません。われわれは永久に迷える小羊で終わると思います。もうこれ以上、プロはいらんという政策に嵌《はま》った哀れな小羊です」

Gさんは、フルセット170万円もしたというオーダーメイドのクラブに、象の本革の180万円のキャディバッグ、1本55万円の天然石使用のパターでゲームに臨んでいた。

「あれこれ道具も1000万円ほど買い込んでみましたが、クラブメーカーの姿勢は高く評価しています。アマチュアに、いかにいいボールを打ってもらうか、開発は日進月歩の勢いがあります。

問題は打ち方を教える側にあるだけです。もしかしてどこかに、瀕死の患者に打つカンフル注射のようなゴルフの特効薬があるのではないか、あるいは焼けつく砂漠の真ん中でキーンと冷えたビールにありついたような、そんな干天の慈雨をもたらしてくれるレッスンプロがいるのではないかと、いまだ希望を捨てずに歩き回っています」

聞けばGさんの1週間は、日曜を除いてゴルフ漬けだった。月水金がプレー、火木土が

練習場通い。冬にはグアム、ハワイを転戦、来年までに英会話を勉強して、できたら、フロリダのゴルフスクールに1カ月ほど留学したいという希望も持っている。

「なぜ皆さんは、プロとアマに大きすぎるほどの差があることに目を向けないのか、それが不思議でなりません。

私は、プロ用の打ち方を教えてくれる先生か本に出逢うまで、あきらめないつもりです。必ずどこかに不老長寿の秘薬と同じ、秘伝が存在すると信じています」

人にはそれぞれ夢がある。それを壊す権利などあるはずもないから、才能とかセンスとか、余分なことは一切いわずに、私は終日Gさんの聞き役に回った。

ひたむきにゴルフを愛する人とめぐり逢えるのは微笑ましいものである。

ちなみに、その日のGさんのスコアは「92」であった。あとたった20打だけ減らせば、Gさんの夢は叶えられる。

ハスケルさんからの、贈り物

１９２２年12月14日付けのクリーブランド・プレス紙に、次のような死亡記事が載っている。

「コバーン・ハスケル。享年54歳。癌《がん》で数カ月伏せっていた。20年前にハンナ社を退職、造船事業に携わっていた。彼はすぐれたスポーツマンとしても知られ、ゴルフボールを発明した」

ハスケルが糸巻きボールを発明する以前、丸い石とか流木の節《ふし》を丸く削った黎明期を別にすると、長い長いゴルフの歴史は2種類のボールによってゲームが行われてきた。18世紀から19世紀にかけて使われた「フェザリー」は、その名の通り、帽子1杯分の羽根を皮のカバーに詰め込んで縫い合わせたものだが、これが意外にも石のように固く、よく飛んだ。３００ヤード以上飛ばした記録も残っている。

ところが使っているうちに縫い目が擦り切れて、ショットの瞬間「ボン！」と爆発、あたり一面トリの羽根が真っ白に浮遊する事故も少なくなかった。この場合、申し合わせによってペナルティなしの打ち直しだ。致命的な欠陥は、水に濡れると鉛のように重くなって、ボールを地べたから引き離すのが大作業だった。

次に登場した「ガッティ」は、虫歯の充塡用にゴムの樹液を固めたガッタバーチャを、あるゴルフ狂がタコ焼きの原理でボールに転用したものだが、これまた冬は石のように固く、夏はふにゃふにゃで使い物にならず、ラウンド中アイスボックスにボールを入れて持ち歩くのが常識だった。

それでも、いっぺん「ゴルフ菌」に感染した人たちは、羽根や虫歯の充塡剤をひっぱたき続けて、ハスケル出現までの歳月を凌《しの》いできた。

コバーン・ハスケルは、1868年にボストンで生まれ、ハーバード大学に入ったが、卒業前にギルバート&サリバン劇団に加わって全米ツアーに出発、黒髪のハンサムな青年は各地で大いにモテたというから、相当な遊び人だったようである。

その証拠に、劇団をやめてからいくつかの事業を興したが、どれも途中で会社を人にくれてやり、馬と狩猟と珍本のコレクションに夢中だった。家が裕福すぎると子供のネジがゆるむことだけは間違いない。ハスケルの持ち馬「リー・アックスウォージー」号は、当時の競走馬の世界記録を持っていた。また、挿絵画家クルックシャンクの研究家としても有名だった。まさしく趣味に生きた男の典型である。

彼がゴルフを始めたのは1895年。結婚してメイン州のブルーヒルに夏用の別荘を建て、そこで世界的富豪の初代ジョン・D・ロックフェラーと知り合ったのが縁で、この大富豪から手ほどきを受けたのだから、まぶしい話である。

「ぼくのゴルフの師匠はロックフェラー氏です」

なんて、かっこいいではないか。

ハスケルについては、これまで不明な点が多かった。ところが1971年にボストンの高級アパートで「ミセス・ブライハム」と呼ばれる老婦人が亡くなり、彼女の遺品から大量の日記帳が発見された。ミセス・ブライハムは、なんとコバーン・ハスケルの娘ガートルードだったことが判明、日記には糸巻きボールを発明した当時のことが詳細に綴られていた。

それによると、ゴルフを始めたハスケルの熱心さはほとんど病気の状態で、馬の調教場の一部に400ヤード打ちっ放しの練習場まで作って、コースに出ない日は早朝からショットの研究に余念がなかった。もちろん、彼が打っていたのはガッティである。

1897年の春、ハスケルは一人の男と運命的な出逢いをする。バートラム・ワークは、B・F・グッドリッチ・ゴム会社の工員から出世して社長にまでのぼりつめた努力家だ。

彼の工場では自転車、自動車のタイヤからオーバーシューズ、レインコート、パンツのゴム紐まで作っていた。

ゴム会社にハスケルのゴルフ仲間がいた関係から顔を出しているうちに、二人は親密になっていった。あるときバートラム・ワーク社長が、ハスケルに向かってたずねた。

「そんなにゴルフはおもしろいかね?」

「おもしろいかどうか、とにかく1日中ゴルフのことしか考えられないんだ」

「だったら、何かゴルフに関連したビジネスでも考えたらどうだね。たとえば、もっとよく飛ぶボールを作るとか」

このとき「ワウンド・ボール」(飛ぶボール)という言葉が初めて登場している。ワーク社長のデスクの上には、ゴム紐の新製品が置いてあった。ハスケルはかなり長い時間、その長いゴムの糸を見ていたが、やがて、

「上質のゴムでボールを作ってみようか。圧縮したゴムなら飛距離も伸びるはずだ」

「私はゴムの専門家だがね、ゴムと水は圧縮できないんだ」

ハスケルは数日間ワークのところに通って、ゴムの特性について教えを乞い、ある日、生ゴムの細くて平たい紐を何十フィートも作って欲しいと提案した。

「紐を伸ばして巻きつけよう。ゴムが伸びた状態なら、いくらでも固く巻くことができる

はずだ」

「凄いアイデアじゃないか！　よし、さっそく実験してみよう」

二人は工場で作業を始めた。それは実におかしな光景だった。汗まみれで適当な大きさまで巻き上がるころになると、きまって手からゴム玉がとび出し、時計のゼンマイが跳ねるように部屋中を暴れ回った。ようやく2、3個が完成したときには夜中になっていた。

これを何でカバーするか、翌朝早くからワーク社長が活躍した。まずガッティを溶かして表面にからめたが、紐の巻き方にバラつきがあって、地面に落としてみると不規則な弾み方をする。そこで芯にガッティの小さな玉を入れ、それにゴム紐を巻きつけた上でガッタパーチャのコーティングを施した。さらにその上から白のペイントを何度もくり返して、ようやく完成したのが4日後だった。

二人は期せずして叫んだ。

「ジョー・ミッチェルを呼ぼう！」

「運び屋」と呼ばれたプロ、ジョー・ミッチェルは、突然の呼び出しをいぶかりながらアクロンの1番ティにやってきた。

「ジョー、何も聞かずにこのボールを打ってみてくれないか」

彼はドライバーでボールを叩いた。1番のフェアウェイのかなたには大きなバンカーがあって、これまでに誰一人として、もちろんジョーも、そこを越したことがなかった。

ボールは豆粒のように飛び去り、バンカーを50ヤードもキャリーしていった。

三人はしばらく口をあんぐり開けていたが、やがてジョーがうめくように、「オレは夢を見ているのか!?」と唸った。

次の瞬間、ハスケルとワークは訳のわからない喚声をあげながら抱き合い、ティグラウンドの上をいつまでも踊り続けていた。

1899年4月11日、ハスケルの発明は特許No.622・834の番号で受理されている。

「飛び方が均等で、コントロールしやすい」

ボビー・ジョーンズは、糸巻きボールの長所に触れ、コラムにこう書いている。

「ゴルファーは、〝ハスケルさんからの贈り物〟に、感謝の気持ちを忘れてはならない」と。

かくも長き、友情の日々

老雄対戦の日は、毎年10月の最後の週と決められている。11月の声を聞くと、北緯53度のエール（アイルランド）にある名コース、ラヒンチ・ゴルフクラブがいよいよ厳しい冬を迎え、クローズされてしまうからだ。

10月末といっても、このあたりの寒さは尋常ではない。たとえば記念すべき40回目の対戦が行われた1988年は、異常気象で寒波の襲来が例年になく早かった。そこでご両人のいでたちは、ゴルファーというよりも北極探検に出発する考古学者と地質学者のように見えた。

「怪力《ハーキュリアン》」こと、ジョン・マルカムは、いつも息子や孫など五、六人を引き連れてアイリッシュ海を越え、ラヒンチに乗り込んでくる。かつてはエールのラグビー界で鳴らし、ゴルフでも350ヤードの豪打を飛ばした「怪力」も、1909年生まれという年齢には勝てず、めっきり背中が丸くなってきた。日本式にいうと明治42年生まれ、81歳になる。

一方の「近眼《ニアサイト》」ことバート・イッチも、キャディをつとめる次男を伴ってマンチェスターからやってくる。「近眼」は1歳若くて1910年生まれだが、二人はエールで同級生だった。数年前までは、どちらも細君を同伴していたが、相次いで先立たれてからというもの、ゲームの風景が寂しくなった。ティグラウンドを見回した「怪力」が、あるときポツリといった。

「赤い色が、消えてしまったな」

いつも夫人たちは華やかな服装で最後までラウンドにつき合っていた。「近眼」も、寂しそうにあたりを見回している。そこでキャディをつとめる両方の息子たちが相談して、その日から自分たちが真っ赤なウインドブレーカーを着ることにした。この優しい心遣いのおかげで、荒涼としたコースの景色が少しだけ明るくなった。

7、8年前、ティアップの姿勢のまま「近眼」が化石のように静止してしまったことがある。そのギックリ腰でその年の対戦はお流れになったが、以来ティアップは息子たちの役目になった。

4、5年前、今度はカップの中のボールを拾おうとした「怪力」が、前にバッタリ倒れてしまった。以来、ホールアウトしたボールも息子たちが拾うことになった。

年々仕事が増えるばかりの彼らの親孝行ぶりには、本当に感心する。息子といっても50

歳を過ぎているわけだから、キャディバッグをかついで回るだけでも並大抵ではない。さらにクラブ選択もまかされているので、ボールのライと距離、それに親父の体調を考えてからクラブを選ぶ。ダルマのように衣類を着込んで、目玉だけ出して立つ老いたるゴルファーは、渡されたクラブの番手も見ずにボールを打つ。

ホールアウト後にはスコアをつけ、それから次のティまで親父をかかえていかなければならない。まったく、頭の下がる息子たちである。

「怪力」と「近眼」が最初に対決したのは、1935年のことだった。はじめはゴルフ好きのクラスメートが誘い合って、休暇にアイルランドまで足を伸ばし、ツアーを楽しんでいたらしい。何度かゲームを重ねているうちに、勝った負けたの意地と名誉が両者のあいだで衝突するようになり、ついに一騎打ちがはじまった。

豪快に飛ばす「怪力」と、綿密にボールを運ぶ「近眼」、この正反対の性格がライバル意識に火をつけたこともあって、毎年1回、凄絶なマッチプレーの幕が落とされた。どの程度の金額を賭けたのか、あるいは金額ではない別のものを賭けたのか、その点は両人とも明らかにしていない。

アイルランドのダブリンからシャノン川の河口にかけて、世界のどこよりも美しく、同時にタフで高度な技術を要するコースが半円形を描くネックレスのように点在している。

たとえば「バリブニオン」のオールドコース、「ポートマーノック」「キラーニー」「ウォータービル」、アイルランドで全英オープンが開催された唯一のコース「ロイヤル・ポートラッシュ」など、目白押しだ。その中でも二人が気に入ったのが、1893年にトム・モリスが設計したラヒンチだった。

コースは、蛮名高きブラックウォッチ連隊の兵士の娯楽施設を目的に作られただけあって、ほとんどのホールがブラインド。丘陵と深いラフのあいだにポットバンカーが口を開け、たとえば「クロンダイク」と呼ばれる5番、パー5のフェアウェイは幅50ヤードの渓谷の底を蛇行していて、左右の斜面のラフはゆうに30センチ以上伸びている。

6番のパー3に至っては、グリーンはおろか旗竿の頭も見えず、砂丘の頂上に置かれた白い石めがけて打つ以外に方法がない。どうにもこうにも、手に負えない難ホールが続いている。もうひとつ、ここには名物がある。クラブハウスに置かれた気圧計がとうの昔に壊れたままで、かわりにこんな貼り紙が出されているのだ。

「雲行きが怪しいときには、丘の上のヤギに注目せよ」

雨が降りそうになると、湿度で手足が重くなるらしく、ヤギたちは丘をおりてクラブハウスの横にある小屋に帰ってくるというわけだった。

戦争と、そのあとの長期商用出張のとき以外、二人は毎年ラヒンチに足を運んで18ホールを闘い、やがて1976年からは9ホールだけの勝負になった。体重の軽い「近眼」が、この年、強風に吹き飛ばされて11番の深いバンカーに転落し、17番では「怪力」が密林のようなラフと格闘、10回打ってもボールが動かず、ついに本人までその場から動けなくなったのがホール短縮の契機になった。

37回目の対戦を迎えた1985年のスタート前、「怪力」が息子にたずねた。

「わしたちの勝負は、いまはどうなってるの？」

「あちらが36戦で2アップだ」

「頑張らなきゃいかんな。負けたまま、先にあいつにくたばられたら一巻の終わりだ」

その言葉通り、「怪力」は2連勝して87年にはイーブンでスタートした。ところが9番で信じられないミスを犯し、勝てるゲームを落としてしまった。

「怪力」のパッティングは、まずボールの前にパターのブレードを置いて方向を定め、それからパターを持ち上げて正しい位置に戻し、ストロークに移るというやり方だった。しかし彼は、数年前から手の震えがひどくなり、クラブを構えてもワナワナと両手が震え続けることをすっかり忘れていた。

グリーンの片隅から、例によってパターをまずボールの前方に置いたとき、震えが一層激しくなった。その反動でボールは後方に打たれてしまい、転がりの速い下り傾斜を走りはじめたボールはカラーの部分を越えて、あっという間に人の背丈も隠すほど深いバンカーに落ちていった。あろうことか、逆方向に打ってしまったのである。

「どうやらわしは、カップの反対側にパットを打つほどボケたようだな」

悄然とうなだれる球友に、「近眼」が優しく声をかけた。

「トシをとるのも、ゴルフにおける不可抗力のひとつさ。わしもここ数年、ピンがまったく見えなくなって、息子にフェースの向きを教えてもらう始末さ。さて、どうする？　もうゴルフはやめにするかね？」

「こいつをやめたら、すぐに死んでしまうような気がしてな」

「わしもだ」

「じゃ、また来年」

「それまで達者でな」

二人は仲のいい兄弟のように肩を組んで9番のグリーンをあとにした。そう、ゴルフはいいライバルが一人いれば、それで十分。

グレッグ・ノーマンの決断

4カ所のゴルフ場で16年間レディスクラブ選手権を守り通し、全盛期には1年間に21回も競技会で優勝、ハンディ3の恐るべき腕を持つ母親から、いったいどんな子が生まれるのか？

答えは「グレッグ・ノーマンが生まれる」。

ミセス・ノーマンは、60歳近い現在でもハンディ5、パットが決まる日はパープレーでラウンドする。

ブリスベーンのバージニア・ゴルフクラブに行くと、彼女が連続5バーディをとった話、連続2ホール、パー4の第2打目をカップに沈めてイーグルを奪った話、妊娠7カ月のときに「70」というスコアを出した話など、たくさんの伝説を聞くことができるだろう。とにかく出色のアマチュアレディなのである。

これだけで、強いノーマン誕生の秘密が明かされたと思うのは早計だ。ゴルフの世界では、親の強さが子に遺伝する保証はない。

礼儀正しくて、ボランティアの精神が旺盛で、かつ超人的な爆発力を持つグレッグ・ノーマンは、どの国でも「好感度プロ」のベスト5に顔を見せている。日本でもノーマンとバレステロスに対する人気は別格のものがある。

オーストラリア最大の炭鉱都市マウント・アイザの粉塵の中で、ノーマンは生まれた。父親は炭鉱会社の技師だったが、金髪の子が誕生した3カ月後に、一家は800マイル離れたタウンズビルに引っ越して、父親は発掘技術の新会社を設立したのだ。

ノーマンのキャリアの中で特筆すべきは、タウンズビルでの中学時代と、ブリスベーンでの高校時代である。

彼の強さの基礎がこの数年間で形成されたことだけは間違いない。

まずクリケット。これはゴルフと野球とサッカーの要素が入り混った瞬発力のゲームだが、中学で早くも「天才」と称され、高校に入るとすぐにクイーンズランドの代表選手に選ばれて州大会のスターになった。フットボールとラグビーも学校で一番の巧者、対外試合では、各部から引っぱりダコだった。フットボールでは、「まるで彼だけスケート靴をはいてるように見えた」と同級生が述懐するほど頭抜けた突進力を持ち、4シーズン連続の得点王に輝いている。

一芸に秀でる者は万芸に秀でるといわれるが、さらに彼は西地区の高校水泳競技会でメダルをとり、陸上の440ヤード競争でも優勝しているのだから、これはもう、オーストラリアの千手観音である。

運動競技ばかりではない。学業もトップクラスで、その頭脳と運動神経を見込んだ学校の先生が、強引にノーマンを説得して空軍の「パイロット養成学校」に押し込んだ。

ノーマンのパイロット姿は「惚れぼれするほど素敵だった」と母親はいうが、その言葉を聞くまでもなく凜《りん》としたさまは容易に想像できる。あのプロポーションにぴしっと制服をきめて、さっと挙手の礼などされたら、そりゃカッコいいにちがいない。航空学校でも成績は常に上位だった。

母親がスーパーシングルであったにもかかわらず、意外なことにノーマンがクラブを握ったのは16歳と8カ月。ブリスベーンに二度目の引っ越しをして、近所に友人がいなかったこと、さらに母親がアマ競技に出場するためキャディを必要としたことも重なって、ノーマンはバッグをかついで1歩だけゴルフの世界に足を踏み入れることになったのである。

母親のゲームが終わったあと、ボールを打たしてもらっての第一印象は、「むずかしい」「複雑」、そして「まぐれ当たりの気持ちよさ」だった。

「ゴルフをやってごらん。人生が楽しくなるよ」

母親のひと言には蠱惑《こわく》的な響きがあった。彼女は息子にハーフセットを買い与えて、「悩んだときだけ相談に乗るわ。ゴルフは頭を止めた回転競技だってことを忘れないで」と、奥義を伝授した。なんとも見事なアドバイスではないか。

高校から帰ると、近くのコースの片隅でノーマンは毎日クラブを振り始めた。夕食の席でわからない点を母親にたずね、その答えを翌日の練習で実践するのが日課だった。半年後にはシングルママが舌を巻くほどの豪打を連発し、コース関係者も、「前代未聞の飛距離だ。彼にとってパー4のホールはパー3だ」と絶句した。

父親がフルセットを買ってくれたことでますます練習に熱が入り、ハンディも毎年低くなっていった。クラブを握ってから20カ月後、ついにバージニアゴルフクラブは彼をスクラッチ（ハンディ0）プレーヤーと認定、驚異的な短期上達に対して上等なフルセットを贈ったものである。

高校在学中も、パイロット養成学校に行ってからも、寸暇を惜しんで練習に明け暮れ、週末は一日に10時間ボールを打ってまだ飽き足らず、じゅうたんの上で5時間もパッティングを続ける熱中ぶりだった。

「なにが私を夢中にさせたのか、その正体はよく承知している。それは〝むずかしすぎるおもしろさ〟とでも表現するのか、ゲームに潜む底知れぬ複雑さと知的な深さが、すっかり私を魅了してしまったのだ。もしゴルフが簡単なゲームだとしたら、私は3日でクラブを投げ出していたと思う」

スクラッチプレーヤーになって間もなく、ノーマンはオーストラリア・アマ選手権に出場、準々決勝で当時アマだったテリー・ゲールに敗れている。

どんな人間にも、人生には転機が訪れる。あのとき、あの人に逢っていなかったら、とか、決断を違えていたら、といった運命的な岐路の瞬間である。パイロット養成学校での2年間が終了して、彼はすべての試験と検査に合格、ジェット戦闘機に乗り込むのに最適の男とみなされた。

卒業式の数日前、ノーマンは父親と一緒に飛行大隊長の机の前に座っていた。彼の前には1通の書類が広げられ、隊長はペンを手渡した。

父親は誇らしげに、たくましく陽焼けした息子を見ていた。空軍入隊の承諾書にサインした瞬間から、晴れてパイロットになれる。まさにこのときがグレッグ・ノーマンの人生の転機であった。彼は書類をジッと見たまま身じろぎしようともしなかった。

「さあ、これにサインしたまえ」

隊長の声にも反応せずに、ノーマンは一点を見つめていたが、やがてきっぱりと、

「ノー・サー」

署名を拒否した。

家に戻ったノーマンは、両親にそのときの胸中を正直に語った。

もし承諾書にサインしたならば少なくとも5年間はクラブも握れない訓練の日々が続く。5年間、自分はゴルフと縁を切って暮らせるだろうか。駄目だ、とても5年なんて我慢できやしない。さあ、ここを出てゴルフをやりに行こう。一度だけの大事な人生だから、自分の好きなものに賭けてみよう。ゴルフを選んで絶対に後悔しないか？　しないと断言できる。だって死ぬほどゴルフが好きだから。とにかく好きだから。

両親は黙って話を聞いてくれた。しばらくして父親がこういった。

「お前の直感が間違った例は、まだ見たことがない。決断は多分正しかったと思うよ」

スーパーシングルの母親が、そのときどうしていたかについてノーマンはこう語っている。

「おふくろは何もいわなかった。私が私服で戻ったときから、すべての事情を察知して、うれしそうにずっと笑ってばかりいたよ」

バーナード・ダーウィンの肖像

フランス文学者の辰野隆さんは、昭和8年ごろクラブを手にするや、たちまち全身ゴルフ漬けになった。寸暇を惜しんで白球を打ち続けたある日、教え子の評論家小林秀雄さんをつかまえて、「わかった!」と叫んだ。

「ついにゴルフがわかったぞ」

「開眼しましたか?」

「ショットのほうは駄目だ。ぼくにはゴルフの本質が見えたのだ。ゴルフとは、きみ、宗教だよ、宗教」

すると、ゴルファーは悩める信者か、と思ったそうである。生前の小林さんから聞いた話だが、お二人ともいまごろは天国カントリーで好きだったナッソーに打ち興じているにちがいない。

実はゴルフ随筆家のバーナード・ダーウィンも、これとよく似たことを書いている。

「私にとってのゴルフとは、信仰の対象以外の何物でもない。私は敬虔《けいけん》な一信者であることに誇りを感じる」（自伝「The World that Fred made」より）

ゴルフの名エッセイを書き続けたバーナード・ダーウィンは知らなくても、彼の祖父はよくご存知のはずだ。学校の教科書でおなじみ、「種の起源」を発表した不滅の進化論学者チャールズ・ダーウィンである。

欧米では「高度な文学的価値を持つゴルフライター」として畏敬されているのに、わが国でいまだバーナードの知名度が低いのは、翻訳本が1冊も出版されていないためである。彼は歴史に残る名勝負に立ち合って、読者の血が沸き立つような名文で観戦記を書いているが、なかでも1930年、ボビー・ジョーンズが達成したグランドスラムのうち、もっとも劇的な勝利といわれるセントアンドリュースでの全英アマ選手権を描写した「不滅のボビー」の一文はまさに圧巻である。

バーナード・ダーウィンは、ゴルファーとしても超一流の腕を持っていた。全英アマでは準決勝進出が2回、プレジデント・パターでは優勝、イングランド対スコットランドの代表選手に選ばれること8回、1923年のウォーカー・カップではイギリスの主将もつとめている。さらに、1934年には伝統あるロイヤル・アンド・エインシェントのキャプテンにも選ばれている。

1876年、ケントのダウン市で生まれた彼の一族は、代々学問の誉れが高く、祖父の助手をつとめていた父親も、のちにケンブリッジ大の植物学教授に迎えられ「ナイト」の称号を受けている。生まれて間もなく母親を失った彼は、8歳のとき父から1本のクラブをもらって、ゴルフ狂の伯父に手ほどきを受けた。自伝の中でゴルフとの出会いをこう書いている。

「思うように打てないむずかしさに私はイライラした。かなりあとになって、むずかしいから魅了される屈曲した真理に気がついた」

名門のイートン校からケンブリッジ大に進んだ彼は、医学をすすめる祖父や父の意に反して法律学部に入り、卒業後はロンドンの法律事務所で10年間、弁護士としても活躍する。

「退屈で死にそうな10年間、もし私にゴルフがなかったら、間違いなく死んでいたにちがいない」

1907年、弁護士の彼に思いがけない話が舞い込んだ。ロンドンの「イブニング・スタンダード」社から、週1回ゴルフ随筆を書かないかというのだ。これは友人のアーサー・クルームが同社から「モーニング・ポスト」に移り、かねがね文才とゴルフに対する造詣の深さに感服していたところから、バーナードを強く推薦したものである。

彼は「ティショット」欄の第1回目をたちどころに書き上げて送ったが、編集長のトー

マス・ハリスによると、

「野に天才のあったことに一驚した」

と舌を巻く名文だった。

第1回目に取り上げたのは、美しい古城と、由緒ある僧院に囲まれたダンレーブン卿の庭園に静かに広がる幻想的なプライベートコース「アデアの荘園」を、詩のような文章で紹介したものである。

これを読んだ「カントリー・ライフ」「タイムズ」、さらには「サンデー・タイムズ」までが執筆依頼に駆けつけたというから、いかにすぐれた随筆であったことか。

それ以降1年ほどは弁護士稼業と二足のワラジをはいていたが、1908年、正式に「タイムズ」社のゴルフ記者に転職、見事なエッセイを週に1回、1953年に同社を退職するまでの45年間にわたって書き続けた。

「私は、バーナード・ダーウィンの名文によってゴルフの偉大さを教えられた」（文豪キプリング）

「私を〝狂〟がつくほどのゴルフ好きにしたのはダーウィンだ。彼は祖父と道こそちがえたが、ゴルフの進化論に果たした役割りは祖父に比べて遜色ないものだ」（イギリスの政治家ロード・ブラバズン卿）

欧米のゴルファーたちは、彼の書く文章を教科書として成長したことが、この二人の言葉からもうかがえる。有名な文芸評論家のサー・ジョン・スクアイアは、チャールズ・ラム以来六人の最高エッセイストの一人だと絶賛した。

ダーウィンは、世界のいたるところに足を伸ばして、じっくりとコースを見て歩いた。コースを評価するとき、「品《ひん》がいい」「品が悪い」という表現を使った。こわい言葉である。

また、たいていの試合には姿を見せて観戦記を書いていたが、1921年の全英アマでは大忙しだった。なにしろ本人が準々決勝から準決勝へと勝ち進んでいるのだから、18番のパットを沈めるや否やプレスルームに走って原稿を書く毎日だった。

自らが書く人と書かれる人を演じてきただけに、軽率な記事に対しては手きびしく叱った。

「少なくともゴルフの技術と心理に言及するならば、その記者は指が曲がるほどボールを打ってきたハンディひと桁のキャリアを持たなければいけない」

「短いパットをはずした選手を嘲笑するかの如き記事は、間違っている。パットというのは、遠くから見てる者が思うより、実際はもっと長いのだ」

「ゲームがおもしろくなければ、それをおもしろく書いてみせるのが記者の手腕だ。そのためにわれわれがいる」

「ボールの打ち方を10ページにわたって掲載するならば、ゴルフの精神に沿った愉しい炉辺記事にも10ページを割かなければならない。さもなくば、バランスのとれたゴルファーが枯渇するだろう」

鋭い警句に、頬を打たれる思いがする。彼の抱いていた危惧は、いままさに的中しつつある。

プレー中のダーウィンの写真を見ると、痩せて背が高い上に猫背で、そのパッティング姿は「珍品」だと、ヘンリー・コットンも折り紙をつけたほどである。なにしろ両足を限界まで広げてかがみ込むために、カニが地面から物を拾っているように見えるのだ。自分のフォームについて、彼はこう解説している。

「ゴルフを憶えたころ、私はパターを持っていなかった。仕方なしにロングアイアンを短く持ってパットにとりかかった癖がとうとう抜けなかった。やっぱり正しい基本を身につけないと、やがて私みたいになるという見本であって、無価値というわけでもない」

1961年、85歳で亡くなるまで、バーナード・ダーウィンは「カントリー・ライフ」誌に週1回のゴルフエッセイを愉しみに書き続けた人である。

上手な「いいわけ」も、ゴルフの内

高邁《こうまい》な人格と博識で知られる詩人で牧師のアレグザンダー・カーライル博士は、1775年のマッスルバラGC秋季大会でチャンピオンになるほどの名ゴルファーだった。

ところが、セントアンドリュースでの試合中、ボールを右に押しだして一人の婦人に命中させてしまった。そのとき牧師はこういったものだ。

「あの方は、私のボールの近くに立ちすぎているよ」

高徳なお人でさえ、ことゴルフになると、ついつい「いいわけ」がこぼれてしまうものらしい。

友人たちから「永遠のダッファー」と呼ばれ、ときには9ホールで自分のプレーに愛想をつかしてクラブを投げ出し、クラブハウスで読書にふけっていたイギリスの名宰相ウィンストン・チャーチルは、ある慈善コンペの第1打で見事なカラ振りをご披露した。すると、クラブヘッドをキッと睨みつけたチャーチル氏、こう叫んだ。

「だれだ、クルミを割るのに私のドライバーを使ったのは！」

たしかにクルミ割り器の真ん中には穴が開いている。ショットのミスを、巧みなウィットやジョークでカバーするのは歓迎だが、たいていの場合、こうはいかない。ものは試し、無差別にゴルファーを一人拾い上げ、巻貝の殻から潮騒を聞くようにそっと耳に当ててみると、泡を吹く干潟のカニによく似たブツブツというつぶやきが聞こえるはずだ。これぞ全ゴルファーのあいだで猛威をふるう「いいわけ病」の症状である。

もっとも、近ごろではあまりに患者の数が多すぎるので、一種の「癖《くせ》」として扱う向きもある。いいわけ病は習慣性が強く、放置すると慢性化、巧妙化が進行して、ついには周囲に広く「見苦しい」「聞き苦しい」といった苦痛を与えてしまう。

ゴルフを始めた初期の段階では、技術もいいわけも同じように稚拙なのは致し方ないことだ。

「わっ！　ダフった」

「あっ！　スライスだ！」

自分のショットを悲鳴入りで解説してみせるが、いちいち指摘されなくても見ればわかる。しかし、わかりきったミスを叫ぶ姿勢の初々しさに免じて、ビギナーのいいわけは微笑しながら聞くことにしている。以前ご一緒した初老紳士など、打つたびに「あれ!?　駄目だ」といい続けたものだ。ハーフで70回もこのセリフをくり返して、静かなのは何パット目かがホールにようやく沈むときだけ。ついに延々最後まで「あれ!? 駄目だ」といいつつ陽が暮れてしまった。

　ゴルフを始めて数カ月が経過すると、たいていのゴルファーはショットよりいいわけのほうが上達する。なかには数カ月でいいわけのシングルになる人もいる。この分野を研究しているスポーツ心理学のH・クラレンツ博士によると、「いいわけ上手は一種の

才能と呼べるものだ」というから、まんざらの話でもない。

「人間は、経験を積むほど自己弁護も巧みになる。いいわけの中には、甘え、見栄、虚勢、逃避、責任転嫁などが含まれているが、もっとも重要な点は、いいわけによって自分に対する負荷（ストレス）を軽くしようとする本能が働き、いいわけが相手に受け入れられたとわかった瞬間、気持ちがとても軽くなって自分の失敗を比較的早く忘れることができる。つまり、いいわけとは生きていくための〝悪知恵〟の一種であり、巧みに弁舌を弄《ろう》して演出効果をあげる人には、才能とも呼べる優秀な頭脳が秘められている」

これがいいわけの心理的背景だというから、人間は複雑だ。本能的に自分のストレスを軽くしようとする行為がうまくいった人はいいとして、それでは聞かされる側はどうなるのか。博士は、被害者についても次のように触れている。

「人のいいわけを聞くのは、あまり愉快なことではない。とくに稚拙ないいわけを耳にしたとき、砂を口にしたような思いがするものだ。心のどこかで、もっと上手に、私から同情と賛同を引き出して欲しいと願っている。私は対抗手段として、いいわけに順位をつけて楽しむことにしている。つまり、こちらも気を紛《まぎ》らす方法を身につけるというわけだ」

博士の研究によると、いいわけはショットまたはプレーの「事前」と「事後」の二つに大別される。もちろん、プレーが始まる前、それも朝一番にだれよりも早く口火を切るのが秘訣であって、事後にブツブツものをいう人は軽蔑されるだけ。いかに早く他の人より説得力のあるいいわけを伝えるか、これはコース攻略を考える以前に、車中やロッカールームでゴルファーが最初になすべきウォームアップと考えるべきだろう。そして正攻法でいくか、変化球でいくかを決める。

正攻法の場合、いいわけのタネは3種類に限定される。まず1番目は「いかにプレーから遠ざかっていたか」を主題に練習不足を訴える。このときクラブが錆《さび》ていたり、スパイクにカビがはえていれば説得力はあなどれないものになる。

2番目は「体の不調」がモチーフだ。頭からツマ先まで、どこかが悪いとつぶやき歩く。二日酔、風邪、痔、ギックリ腰あたりを持ちだすと、意外にも広く同情を集めることもある。もし、万が一にもいいスコアが出たときは、

「久しぶりにコースを歩いたら、すっかり良くなっちゃったよ」

と笑って帳尻を合わせておく。

そして3番目が「新しいクラブ」という古典的なタネである。これはプロにも愛用されるいいわけの決定打として頻繁に使われるが、そのためには新品のクラブを用意しなければならないところが痛い。しかし、「きょうは、パターが新しい」といわれると、もうそれだけで周囲が黙ってしまうほどの効果はある。

いいわけの90パーセントは、以上の三つによって占められる。これに小道具として多忙、寝不足、気に入らないキャディ、前の組のスロープレー、ディボット跡、バンカー内の不運、紛失するはずがない場所でのロストボール、といった味つけを加えていくと、「事後」のいいわけにも困ることはない。

十分に練り上げられたいいわけを聞くのもゴルフの楽しみの一つといえるが、この世界にも不文律があって、これだけは絶対にいいわけのタネにしてはいけないと博士は強く警告している。それは「天候」と「コース・コンディション」の二つだ。

「その人だけに雨が降りそそぎ、風も強く当たるならともかく、全員が同じ条件下でプレーしているとき、一人愚痴をこぼすような情けない人物に堕落してはいけない。コース・コンディションについても同じことがいえる。これら二つをいいわけのタネに使うような人物には、ゴルフをやる資格がないと断言できる」

さて、クラブやボールの進歩と並行して、いまやいいわけまでが科学的に分析される時代となった。手の内は読まれているのだ。ここに至って「いかに巧みにいいわけをするか」、新しい課題がゴルファーにのしかかっている。あなたの人格と頭脳は、次につぶやくいいわけの首尾如何《いかん》によって判断されることをお忘れなく。

浪速《なにわ》の達人、スコットランドの達人

当時、「練習の虫」と呼ばれたノースベリック所属の名物プロ、ベン・セイヤーズの実像を調べていくうちに、杉原輝雄プロとあまりに似すぎているので、ついに深夜、偶然の符合の不思議さに唸ってしまった。世の中には「そっくりさん」が三人いるといわれるが、時代こそちがえ、まるで一卵性双生児と思えるほど酷似するプロが大阪の茨木市とスコットランドに出現したのは、いったいどんな運命の妙なのだろうか。本当に不思議でならない。

ベン・セイヤーズは、全英オープンの常連だった。１８８８年と89年、３位に入る健闘を見せたが、94年の7位を最後に試合から遠ざかり、クラブ作りの世界で大いに成功をおさめた。日本でもクラブの分野で名を知られているが、プロとしても超一流の腕を持っていた。

まず特筆すべきは、ベンが身長5フィート4インチの小兵だったこと。つまり１６２センチの杉原とまったく同じ身長であり、体重も58キロと、これまた両者は寸分の狂いもない。プロの中にあって、ベンも杉原も非力の克服に取り組まなければならなかった。

「ゴルフが飛距離だけのゲームならば、私は見向きもせずに船乗りになっていたと思う。ゴルフでは、グリーンの全景が見渡せる場所から本当のゲームが始まる。そしてパッティング、勝てるチャンスはここにある。大男と互角以上に闘えるグリーンこそ、ゴルフの最も平等な場所であり、私の仕事場でもある」

彼はゴルフ史家、D・レイにこう語っていたが、その言葉通り、異様とも思えるほどパットの練習に心血を注いだ。「ベン・セイヤーズに会いたければ、ためらわず練習グリーンに行ってみろ、景色の一部みたいに立ちすくんで黙々とボールをはじいているのが彼だから」と、D・レイは書いたが、ほとんど終日パットとアプローチの練習に没頭し、朝起きたときからパターを肌身離さなかった。

残された数枚の写真の中にパッティング姿のものがあるが、かなりオープンスタンスに構えてボールを右足側に置き、両ひじをゆるめてスタンス幅を広くとっている。開いた左足をややスクェアに戻せば、、このフォームも杉原に似ている。また、ドライバーをはじめとするアドレスも、この二人は両ひじをゆるめてふところの深いトップに移行していく。

1889年の全英オープンでは、ウィリー・パークJr.、A・カーカルディ、ベン・セイヤーズの三人による激しい優勝争いが演じられた。ところが最終日、向かい風のホールになると、いくら叩いてもベンだけがなかなかグリーンに届かない。定評のあるアプローチとパットで必死に凌《しの》いだものの、とくに風を強く受ける終盤4ホールで4打引き離されてパークJr.に優勝を掠《さら》われた。

そのときベンは空を仰いで長嘆息、こうつぶやいた。

「飛ばなけりゃ、勝負に持ち込めない」

試合のあと、それまで使っていた43インチのヒッコリーシャフトを、思い切って44インチに伸ばしてみた。さらにシャフトを細くしてホイッピーな感じに変え、しっかりとタメ

を作ってから大きく振り抜くスウィングの改造に取り組んだ。

そのクラブでタイミングがとれるようになると、今度は1年に1インチずつシャフトを長くしていき、ついに46インチの長尺ドライバーを試合で使うようになった。クラブの歴史の中で、実際に長尺を振った最初のゴルファーはベン・セイヤーズである。いま、杉原は45インチを使っているが、練習ではそれより0・5インチから1インチ長いものを打つこともある。ここでも、なんと似ていることだろうか。

「タイミングさえ合えば、46インチにはそれだけの威力がある。1インチ長いクラブをマスターするのに3年かかるといわれるが、私は3インチ長くしたクラブで、2年後にはマッチプレーで7連勝した」（ベン・セイヤーズ伝）

ベンは長尺で飛距離の難問を克服し、各地に出向いて多くの試合をこなした。1892年にはファイフでの3番ホール、彼の第1打目は右に飛びだして由緒あるウイムス城の屋上にボールが止まってしまった。その場所がOBではないと聞かされると、城内の階段を登って屋根から屋上に這い上がり、はるか170ヤード先のグリーンにボールを乗せた。40ヤードの高さの屋上からパーを制したこの美技は、わが国でもいくつかの名コースを設計し、「アリソン・バンカー」で名を残したチャールズ・ヒュー・アリソンが選手のころ、ウォーキングGCで同じようにクラブハウスの屋根から打ってパーを拾った美技と並んで、ヨーロッパでは「屋上の2大スーパーショット」と呼ばれている。

1870年ごろから、ベン・セイヤーズの関心はクラブ作りにも向けられていた。このころ完成したドライバーの傑作が「ドレッドノート」である。それまでのウッドクラブはウリ状に細長かったり、丸くて小さなものばかりだったが、ベンは革命的なビッグヘッドを考案し、実用化させた。肉厚の大きなヘッドは当時のゴルファーをおどろかせたが、実はいま、私たちが使っているものの原形なのである。ベンはパーシモン型のオーソドックスなヘッド形態の考案者でもあった。

このヘッドを完成させ、自ら連日ボールを打って性能に自信を持った彼は、発売するに当たってネーミングに苦慮していた。そんなある日、彼はプロショップがあるフォース湾の近く、ノースベリックの17番ホールの沖合いを、ポーツマスで進水式をあげて間もないドレッドノート級戦艦「インビンシブル」号（1万8000トン）が堂々と進んでいく姿が見えた。それを見て、瞬時に彼は新しいドライバーに「ドレッドノート」という名前をつけた。1925年ごろまで、このドライバーは大いに売れまくり、クラブ作りとしてもベン・セイヤーズの名は不滅のものとなった。

クラブが売れて高収入を得るようになっても、相変わらず時間さえあればベンは練習に明け暮れた。1905年には、飛ぶ鳥落とす勢いのジェームズ・ブレードとエキジビションマッチを行い、18ホールの総パット数がなんと「21」、ノースベリックのパット記録を樹立して、見事巨人をやっつけたのだから、いかに晩年になっても猛練習を続けたかがわかる。

「力があり余る大男には、非力小兵の悲哀など死ぬまで理解できないだろう。私のように飛ばないものは、四六時中飛距離のことばかり考えて、奥歯がすり減って失くなるまで練習を続けなければならない」

ベン・セイヤーズはこう語っている。

「はっきりとした目的意識がなければ、練習はただの気休めにすぎない。私の場合は、次のゲームで大男をやっつけてやろうと、仮想敵を脳裏に浮かべながらボールを打ち続けたものだ。次のゲームで自分のベストスコアを更新しようとか、苦手のクラブを自在に使いこなしてみようとか、皆さんも明快な目的意識を持つこと、これが練習に取り組む姿勢であって、目的をはっきりさせてからクラブを握るべきである。私はいつも、そうしてきた」

50歳を過ぎても、ベンのアプローチとパットは「芸術的に美しい」といわれ、46インチの長尺で大きなボールを飛ばしていた。なにからなにまでそっくりすぎて、いまふうにいえば杉原プロの「前世」について考えてしまうほど、二人には共通点が多いのである。

こんな不思議って、あるのだろうか。

季節はずれの熱帯魚たち

おたくの奥方は別だが、よその女房たちは亭主のゴルフに対してあまりいい顔をしないらしい。もちろん、どんなふくれっ面にも若干の理由はある。

まず第一に、ゴルフ代の出費による家計への圧迫、次いで休日なのに妻子が置いてけぼりにされる、ゴルフ前夜になると一人でさっさと寝てしまう、自分ばっかり楽しんでいる、などが考えられる。とくに女房の神経にさわるのが、「一人だけ楽しんでいる」と誤解を与えてしまうあなたの態度だ。ここ数ヵ月の自分の立ち居振る舞いを、よォく思い返してみようじゃないか。テキに〝よろこび〟を悟られてしまうような軽率な態度がなかったかどうか。

たとえば週末のゴルフ行きを告げるのは、抑えた演技が要求されるむずかしい局面だが、いかにも迷惑千万といった感じがうまく出せただろうか。

「仕方ないだろ。急にお得意さんの接待を社長直々に命令されたんだから」

「コンペに出なかったら、オレ、会社で村八分にされるんだぞ。それがどんなことか、お前にもわかるだろ」

口調とは裏腹に、頬のあたりがゆるんで、ゆび折り数えてプレー日を待ち焦がれるよろこびが全身からゆらゆらと立ち上ってはいなかったか。この際胸に手を当てて、自分の演技力をしっかりチェックしておこう。

さらに事態をまずくしてるのが、ゴルフ前夜の挙動不審である。いつもならば帰宅して風呂に入るのがやっと、かすかすのエネルギーしか残していないポーズを作ってきたその人物が、いそいそと鼻歌まじりでスパイクなど磨きはじめる。およそ通勤用の靴さえ磨いたこともないくせに、この豹変ぶり。さらにクラブを点検し、雨具、手袋、ボール、ティペグまで並べてキャディバッグに入れたり出したり、卵を盗まれた親鳥のようにそわそわしている。テキはもちろん、こうした動きを冷たい目で観察している。

身仕度の途中、何度となくチャンネルを変えては天気予報をのぞき込み、最高気温と最低気温を把握すると、いよいよゴルフ前夜のハイライト、「コーディネート」の始まりだ。いまや女性さえ凌駕《りょうが》する勢い、ゴルフ大好きおじさんたちの新しいテーマ、あしたのファッションの組み合わせに取り組むときがきた。

かつて、いまほど男たちがコーディネートに強い関心を持った時代があっただろうか。

これまでの男たちの歴史を見るに、和服時代はさておいて洋服浸透以降、学生服、国民服、軍服と続き、ようやく自由になっても背広にネクタイ、これも制服と同じだ。派手な色をまとってオシャレを楽しみたくても、日本国内にはその場がなかった。

ところが、ゴルフではどうだろう。たとえ牛が突っ掛るほどの真紅のウェアを着ようとも、大自然の緑の中にあってはコースの威厳に敵《かな》わない。それに気づいたゴルファーたちは、いま、ようやくオシャレの場を発見したのである。

洋服ダンスの前に立って、シャツ、ズボンにベスト、セーターなど、あれこれ眺めながら考える。どんな基調でコースに臨むか、ジャンボ、青木、倉本、山本善隆といったイメージを思い浮かべたり、ときには大胆にペイン・スチュアート、白浜育男の線も考えないわけではないが、気が触れたと思われても困るので、「派手」と「シック」、コーディネートの基本路線を2本にしぼることにする。

「襟《えり》元からピンクのシャツがのぞいているのもオシャレだなあ。それとも白でキリッと締めるか」

「ズボンはやっぱり、いま流行のツータックでいこうかな。いや、シングルのほうが、かえってスマートに見えるかも知れない」

とっかえ引っかえ並べては、畳の上で組み合わせてみたりする。もともとコンビネーションの感覚とは無縁の人生を送ってきたので、センスを発揮しようにもベースになるものがない。そこで黄色とグリーンと紫色の組み合わせは「派手」、赤と黒は「シック」と信じて、とにかくボストンバッグに詰め込むことにする。それでも自信が持てないときは、家族の目を盗んで鏡の前に歩み寄り、ついには試着までやってのけるモデルまがいのひょうきんなゴルファーだっている。

ときには1時間も不気味な着せ替えゴッコを楽しんで、ようやく用意万端、ホッと息をもらしたものの、なんとなく落ち着かない。そこでパターを引っこ抜き、じゅうたんの上でボールを転がしてみたり、ヤカンを持って家の中を行ったり来たり、そうかと思うと執念深くチャンネルを回して、飽きもせず天気予報をのぞき込んでいる。一夜にしてゴルフ場の真上に台風でも発生しまいかと心配でならない様子だ。

心はすでに1番ティまで飛んでいるので、こうした異常な行動をテキがジッと観察していることに気がつかない。あれほど

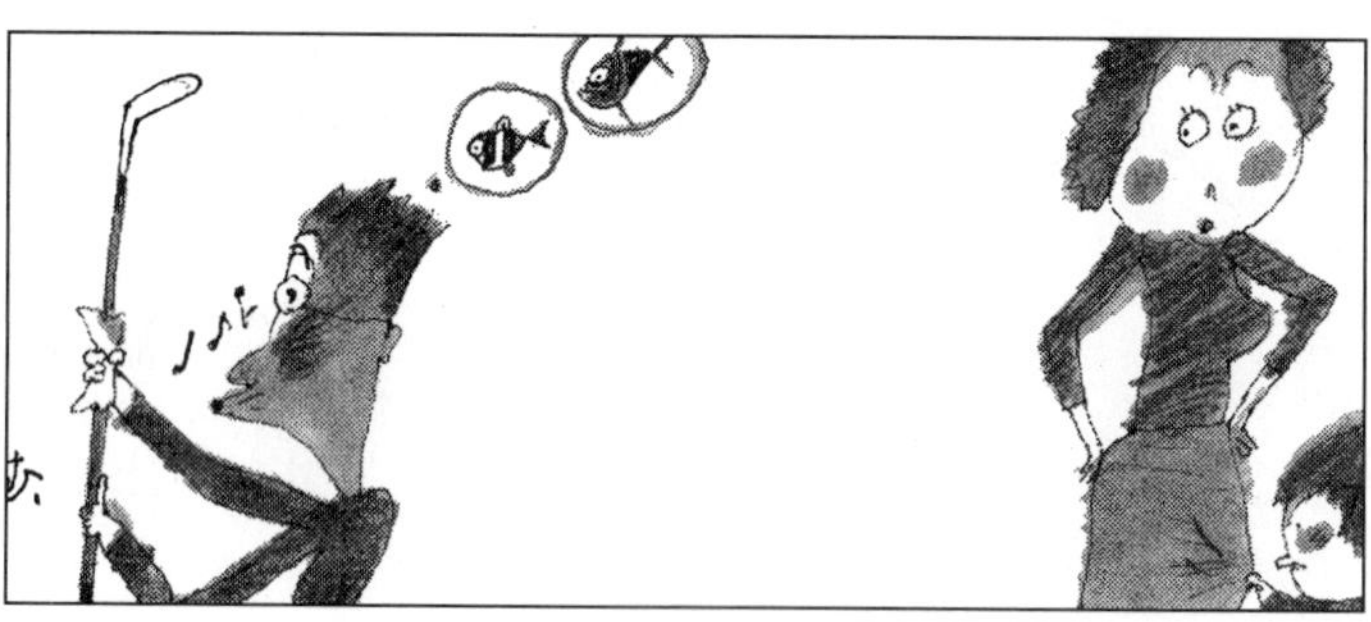

いやがっていたのに、どうだろう、まるで遠足前夜のはしゃぎようじゃないの、なにが社長の命令なのさ、憎たらしい。

週末のゴルフ行きに対して、世の女房族がふくれっ面をするのは、要するに一人でよろこびまくっている亭主の狂態がおもしろくないのだ。そして、その原因は貴兄の演技力の不足にある。

さて、コーディネートがスライス矯正と同等のテーマに昇格したことで、女性たちのあいだにも波紋が広がりはじめている。東京・丸の内のOLたちが、ランチタイムを利用して社内コンペでの男性群のファッションを徹底解剖したのも、そのパニックの現れと見るべきだろう。彼女たちが討議したテーマは、次のようなものである。

「ラフ、または、マレに歩くこともあるフェアウェイにおけるファッションの統一性、および特異性について」

いつもは地味なスーツの中に身を潜めている上司や同僚が、ゴルフ場ではアッとおどろく変身ぶり、話題になって当然である。

彼女たちの観察によると、日ごろくすんでいる人ほど、いざゴルフとなると目一杯、中華街のお正月飾りみたいに舞い上がる傾向が見られるという。さらに奇っ怪なのが、会社ではいるかいないかわからない経理部とか用度課、資材課といった地味な人たちには共通して原色、中間色の区別意識がなく、北海の海底に生棲する極彩色のカジカのように、やたら派手っぽく着てしまうクセがあるらしい。

それでは、一般的なビジネスマンのコーディネートぶりは及第かというと、まず8割は「季節はずれの熱帯魚」、あたりの景色にそぐわないものが泳いでいるな、程度にしか感じないそうだ。

「なにかに追われているみたいでェ、無理に派手なんか決めるとかァ。日本の男の人とかはDCブランドが絶対似合わないからァ、気の毒みたいでェ、ミジメとか思えちゃうのよね」

「でもォ、カシミヤのシックなセーターとかを部長とかが着こなしてるとォ、いいナとか思っちゃう」

「自分に似合う色とか、もっと研究してェ、男の色気とかをもっと感じさせて欲しいな」

まあ、派手な看板だって日が経てば色あせるものだ。いまはファッション解禁で多少浮かれ気味かも知れないがやがて落ち着いてくるって、お嬢さん方よ。色気のほうもまだまだ後ろ髪ならたっぷりあるぜ。

4万3000回に一発の快感

ホールインワンと、カラオケと、初夜の花婿《むこ》は、それをやった人だけ気持ちのいい話だと思っていたら、近ごろは3番目だけ事情が変わって、「ハナヨメ」と書くのが常識だと友人に指摘された。もし本当にそうならば、私はこの分野でも生まれる時代を間違えてしまった。

アメリカではホールインワンを「エース」と呼ぶが、たとえばトランプでもスペードの1をエースといい、これに野球などで使われる第一人者、名手を意味するエースを掛けて20世紀に作られたアメリカ語であって、本来はホールインワンというのが正しい。

それにしても、この快挙は運なのか技術なのか、その両方なのか、あるいは別次元の奇怪な出来事の範疇《はんちゅう》に入れるべきなのか、いまだゴルフ史家のあいだでも決めかねているようだ。ただ単に運とか偶然というならば、カリフォルニア州に住むハンディ4のノーマン・マンリーが持つ世界記録「51回」を、どう説明したらいいのだろう。

「私は、幸運や偶然に頼ったことは一度もない。正確に狙って、そして入れている」

マンリーの発言は、これまでの偶然説を真っ向から否定するものだ。彼は言葉通り、地元の記者に同席してもらって、3カ月間に二度のホールインワンを彼らの目の前で披露している。1988年の秋までに「51回」というから、いまではさらに記録を更新したにちがいない。

「正しく打てたとして、そのクラブで自分のボールが落下後にどの程度転がるかを把握しておくことがコツだ。あとは芝目とアンジュレーションを記憶して、その一点にボールを運ぶだけのこと。ホールインワンは、計算されたショットによって達成されるものだ。もちろん、とんでもないミスショットがホールに沈む場合もあるが、そうした偶然に私は興味を感じない」

テレビのインタビューに対して、こんなことをいいながら、平凡な役場の職員といった印象の彼は次々にワンショットの快挙を誕生させている。彼はまた1964年9月2日にカリフォルニア州のデスバレーGCで、パー4のホールを連続一発で沈め、ギネスブックに名を連ねている。まず7番の301メートル、8番の265メートルのドッグレッグもショートカットに打って、どちらもホールインワン。このニュースには世界中のゴルファーが唖然とした。アイアンの正確さばかりか、飛ばし屋でもあった。この日のスコアが

「61」、いまだに燦然《さんぜん》と輝くコースレコードである。

世にさまざまなホールインワンがあるなかで、プロのジョン・ジェイコブスは、20メートルのビルの屋上から90ヤード先に作られたグリーンのカップに沈めた体験の持ち主だ。これはニューカッスルに新しく建てられたゴスフォース・ホテルの竣工式に、宣伝を兼ねて企画されたものだが、ジェイコブスは「グレート・ブリテン・バラエティクラブ」の資金集めのために屋上でアドレスにはいった。すでに数社のスポンサーから2500ポンドの賞金が寄せられていた。

「ボールは35個、これはあなたの年齢を記念して、1歳につき1個としたものです。さあ、

始めてください」

彼はゆっくりしたスウィングで眼下のグリーン目掛けて打ち始めた。ボールはすべてグリーンをとらえたが、29発目まではショート気味だった。そして30発目、打球はひと腰伸びてピン手前2ヤードのところに落下、二度目のバウンドがそのままカップに消えた。ホテルのオーナーは大よろこび、1000ポンドのボーナスをつけてくれたので「グレート・ブリテン」は資金が大いに潤った。

一つのホールインワンには、必ず一つの物語がある。生まれて初めてコースに出て、その第1打目がカップに飛び込んだフロリダの青年もいれば、OBゾーンの木に命中したボールが入ってしまったブルース・デブリンの「奇跡の復活事件」もある。この出来事を目撃したA・ベルという記者は、思い立ってホールインワンを数年にわたって研究し、いくつかのユニークなデータを発表した。

それによると、ホールインワンの約3割はミスショットだったという事実、もっとも誕生しやすい距離は130ヤードから140ヤードまでのあいだ、季節は6月が1位、8月が2位、11月が3位の順で多く、天候はやはり無風薄曇り、時刻は午後が8割を占める。

ショートホールのティグラウンドに立ったチャンスを1回と計算して、男子プロと男子のトップアマがホールインワンを出す確率は「3700回」に1回、女子プロと女子トップアマの場合は「4660回」に1回、そして一般ゴルファーでは、なんと「4万3000回」のティショットに対して1回、ホールインワンが誕生する確率だという。1ラウンドに四つのショートホールがあると仮定して、実に1万750ラウンドに1回である。この天文学的数字から見た限りでは、まさしく偶然の産物という気がする。

ま、データはあくまでもデータ、ゴルフの本質は意外性にあるのだ。その証拠に、ホールインワンの史上最年少記録を持つのは、コロラド州リトルトンの5歳の少年、コビー・オーア君、1975年にリバーサイドGCの5番ホール、103ヤードで、シャフトを短くつめたスプーンをひと振り、一発で沈めた。メルボルンでは1979年に6歳の男の子が、1968年にもウエスト・ヴァージニアで6歳と7日目の男の子がホールインワンをやってのけている。

女子では1977年に、レベッカ・チェイスがオレゴンのコースで達成しているが、そのときの新聞の見出しは嫉妬と羨望が露骨に現れたものだった。

「8歳のババア、ホールインワンをやらかす!」

マイアミに住むジョン・ドシティ君に至っては、7歳から10歳までの4年間に、毎年1回ずつホールインワンを出している。ドシティ簡単に出せるのか、この少年からもコツを聞いてみたいものである。

最年長記録のほうを見ると、寿命の伸びと共にこちらも毎年記録が更新され、1976年に「77歳」だったものが、やがて80歳代の時代に突入、そしてついに1987年、ドイツのバンス爺さんがスイスのコースでホールインワンをやってのけたとき、「91歳と5カ月」であった。この年代まで楽しめるのもゴルフの偉大なところである。

老いも若きもビギナーも、ご縁のある人はいとも無造作に一発で沈めるというのに、プロでさえまったく経験したことがない人はざらにいる。パークビレッジの名物プロ、バート・ラファティなどは、52年間のコース暮らしにもかかわらず、ホールインワンには一度も恵まれたことがない。

縁のない人と簡単にやってのける人、ショートホールには運命の不思議な糸が2本張られているようである。

かくいう私も、30年間、人さまの何倍もコース通いをしているというのに、いまだホールインワンだけはやったことがない。1日に二度も旗竿にボールをぶつける好調な日でさえ、入ることはなかった。もし、万が一にもこれから幸運に恵まれたとしたら、もちろん周囲の人を丸め込んで内密にコトを処理するに決まっている。だって罪深い色をしたおっさんが、いまさら初体験だなんて、決まりが悪くてよういえんわ。

世界記録、「29アンダー」の秘密

コース設計家は知恵を凝らして守りを固め、ゴルファーは休みなく攻略を続ける。コースとの闘い、これぞゴルフの醍醐味、勝敗はその日のスコアが教えてくれるものだ。

ところで、以前から気になって仕方ないコースがあった。プロなら2桁のアンダーパーが常識、アマでもそこでプレーすると、必ず自己ベストを大幅に更新できると評判の18ホールが、アフリカ西部、ナイジェリアの首都ラゴスに存在する。毎年ナイジェリアオープンが開催されている「アイコイ・ゴルフクラブ」がそれである。

関心を抱いたきっかけは、年々盛んになるアフリカのサファリゴルフサーキットの実情と優勝スコアを見ていくうちに、ナイジェリアでのスコアが異常に低いことに気がついた。

1973年のプロアマ選手権では、イギリスのプロ、デビッド・ジャガーが、パー72のコースを「59」でホールアウト、そのときのパット数はたったの「21」だった。

1978年、ここで36ホールの試合をしたサンディ・ライルの優勝スコアが「61・63」

の「20アンダー」、まさに驚異的なコース記録を樹立した。そして1981年の2月には、びっくり仰天のトーナメント世界新記録が誕生したのである。これをやったのは1969年の全英オープンでベストアマになった後にプロ入りしたパットの名手、ピーター・タプリング選手で、4日間トーナメント、72ホールを「29アンダー」の259で回ったのだ。しかも最終ホール、同伴競技者のジョークに笑いながら打った1メートル弱のショートパットを外しての「29アンダー」である。

なぜ、これほどの天文学的好スコアが続出するのか、その秘密を知りたいと思っていた矢先、商用でナイジェリアを経由する友人をつかまえることができたので、くだんのアイコイGCでのプレーを依頼した。

「愛恋ゴルフクラブとは、なんとオシャレなネーミング」

そういいながら、彼は灼熱のアフリカに出向き、つぶさにアンダーパーの秘密を探ってきてくれた。このあたりは一触即発の危険地帯、ウガンダとケニアのあいだには国境紛争があり、ジンバブエとザンビアは戦火を交え、ナイジェリア自身も血なま臭いクーデターをくり返している。思えばこんな火薬庫のような地域で、よくぞ毎年サファリ・サーキットが開催されているものだと感心する。トーナメント中の平均気温は摂氏38度、そのため気温が上昇する前の早朝7時に第1組がティオフするのだが、午前10時になると地熱が発する陽炎《かげろう》がゆらめいて、旗竿は登り龍のように身をくねらせて選手を悩ませるという。

午後4時をすぎると、プレーには快適な気温になるが、今度はキャディがコースに出たがらない。そう、お察しの通り猛毒を持ったサソリと蛇の出勤時間と鉢合わせになるからだ。

試合用のティグラウンドから6850ヤード、レギュラーで6550ヤードのコースには、あまり大きな木は見当たらない。フェアウェイとラフは野芝の一種で覆われているが、なにしろ緑の乏しい土地、近在から家畜

が侵入してきて根こそぎ食べてしまうために、コースの雰囲気は、

「どちらかというと、牧場に近い感じがするね」

と、トーナメントの常連、ブライアン・バーンズは感想をもらしている。彼は毎年アフリカのツアーで莫大な賞金を稼いでいる一人だ。

さて、アイコイGCの最大の特徴は、なんといっても茶色のグリーンにある。アンダーパーの秘密のすべてが、世にも不思議な茶褐色のグリーンに隠されている。パターを持ってそこに初めて立ったゴルファーは、一人残らず「タハッ!?」「ウワォ！」と奇妙な声をあげ、バンカーの中を歩くように、抜き足差し足でソッとあたりをうかがうのだった。まさにゴルファーの習性、グリーンはオイルで固められた砂で作られている。

薄茶色をした細かい砂は、むしろ「粉《パウダー》」に近い微粒子で、さる丘陵から採取したものがコースに運ばれる。それを上質で無臭のオイルと混合させてグリーンに敷きつめ、ローラーをかけて平らにする。不思議なことに表面は柔らかすぎず固すぎず、落下してくるボールをベントグリーンのように受け止める。砂とオイルのブレンドは〝極秘〟となっていて、コース管理の数人しか製法を承知していない。どこかの国のジャーナリストが本国に持ち帰って秘法を分析しようと企み、グリーンをひとつかみ、ポケットに入れたことがあった。するとキャディの通報で、支配人からこっぴどく叱られたそうである。

たしかに巨大なホットケーキの上に立ったような気分にはなるが、ここのグリーンには傾斜も起伏も存在しない。いやになるほど真っ平らなところにポツンとカップが切られていて、ラインはすべてストレートだ。アンジュレーションが恋しく思えるほど、とにかく平らに作られている。

さらに奇妙なのは、砂とオイルの調合によってグリーンの速さを自在に変えることが可能であり、プロが試合をするときはオイルの量を多くして3・5ミリぐらいの速さに、普段は砂の量を多くして4・2ミリのカットと同じ転がりにする芸の細かさを披露する。まさにグリーンキーパーの匙《さじ》加減一つで、セントアンドリュースからオーガスタまでのグリーンが再現できるというわけだ。

18ホールのグリーンは、どれも円形で小さく、ピンまで20フィートを越えるような大きなものはひとつもない。ということは3パットの危険性がほとんどないので、16年間のトーナメント中、3パットをしたプロはほんの数人に過ぎないという。やはり、常連のサム・トーランスによると、

「カップのふちのあたりが、ボールの落下に伴って少しずつ崩れていくようだ。つまり遅いスタートになればなるほどカップの回りがなだらかに傾斜して、実際よりも大きくなっているんだ。少々ラインが外れても、吸い込まれるように入ってしまうことだってあるく

らいだ。この話は内緒だぜ」

どうやらここのカップは土手崩れによって、直径が数センチほど広くなっている気配だ。1、2センチのライン違いに泣くのがパッティング、それが吸い込まれるとなればエライことである。

砂のグリーンだけに、1組のパーティがホールアウトしたあとは、盛夏のリゾート海岸のように足跡だらけになる。すると普段はキャディが、トーナメントでは近くの木陰に〝均《なら》し屋〟のおじさんが待機していて、木製のモップにオイルをひたし、それであたり一面をくまなく掃いてくれる。

たちまちグリーンは人跡未踏の砂漠のように清められ、次のパーティはただひたすらカップ目掛けてストレートに打てば、それでよろしい。

1ラウンド「59」も、4ラウンドで「29アンダー」も、秘密はすべてグリーンにあった。少々遠くても生涯のベストスコアをお望みならば、ぜひともアイコイGCまで遠征されることをおすすめしたい。ただし、正確に真っすぐ打てなきゃ、いくらアイコイだってボールを吸い込んではくれないだろう。

コンペの前の「悪魔払い」

地球上のいかなる生物にも、必ず天敵《てんてき》が存在する。人類をおびやかすコレラ菌は人類の天敵であり、油虫を食べるテントウ虫は油虫の天敵である。

天敵とは「天然の敵」という意味だが、もっとも多種の天敵を持つのが昆虫類、なかでもハエ同士の潰し合いは凄絶をきわめる。一種族ばかりが増えるとこの世は住みにくくなるので、天敵の存在は神の摂理、絶妙のバランス、快適のためのメカニズムといえる。

もし、人間の世界でハチに匹敵する種族を見つけるとしたら、それは間違いなくゴルファーだろう。とくに芝生の上で長い棒を振り回す人には、必ず一人や二人の「天敵」と呼びたい相手がいるものだ。そんな者はいないって？　ならばあなたが誰かにとっての天敵である可能性が大である。デリカシーに欠ける人間は、その楽天主義が疎《うと》んじられていることに気がつかないものだ。

ゴルフの場合、天敵には二つのタイプがある。一つは何となしにムシが好かない先天的な者であり、もう一つは理由があって一緒にプレーしたくない後天的なものである。

たとえば灼熱のアフリカツアーで、強烈な太陽がパターのてっぺんに反射して目があけていられないサンディ・ライルは、たまりかねてブレードの頂上に2枚の救急絆創膏を貼りつけた。

「これでよし！　なんでもっと早く気がつかなかったのかね」

ライルは同伴競技者のニック・ファルドに反射止めの知恵を自慢した。そのときファルドは黙っていたが、ホールアウト後役員にチクった。プレー中、パターに異物を貼ったペナルティでライルは首位からすべり落ち、結局ファルドが優勝を掠《さら》った。このときからライルの天敵はファルドと決まり、以来二人は大人だから挨拶ぐらいは交すだろうが、少なくともライルのほうから会話の口火を切る気配は見られない。これなどは後天性の典型といえるだろう。

反対に、グレッグ・ノーマンには特別な理由など存在しない。ただ何となくファルドと一緒にプレーすると、歯車がうまく噛み合わないだけである。カーチス・ストレンジやレイ・フロイドにも同じことがいえる。おそらく苦手意識がリズムを狂わせるのだろうが、ファルドとプレーすると気が乗らないことおびただしい。だから、こちらは先天的なものといえるだろう。戦う前に相手の意気を沈めるニック・ファルドは、その意味でマレなるプロの一人である。

さて、視線を天上から地上に落として、われらダッファーの身辺を見回すと、天敵問題はゆるがせにできない深刻さを帯びてくる。個人的には、

「どうも、あいつとは一緒にやりたくない」

「あの野郎と朝から顔をつき合わせるぐらいなら、家で寝ていたほうがマシだ」

「あの人と回って、調子のよかったためしがない。また、きょうも駄目だろう」

この程度の好き嫌い、相性の良し悪しにとどまるが、コンペの幹事ともなるとそうはいかない。

はっきりいって、コンペが成功するかしないか、そのカギを握るのは幹事の「天敵探し」の手腕にかかっている。コースの予約、出欠の有無、賞品の手配、パーティの準備といった一般的な雑事など、電話の掛け方さえ知っていれば中学生にだってできる。幹事が万難を排し、全身全霊を傾けて努力する唯一の仕事は、コンペ当日、だれとだれを組ませるか、組み合わせの全体図を作成することにある。

たとえばの話、JP商事の社内コンペを例にとってみよう。広報部の尾崎部長と中島次長は、普段それほど仲が悪いわけではないが、ことゴルフとなると二人の血相が変わる。これまでの成績は部長に軍配があがり、次長は1歩遅れをとってきた。そこで中島次長は

スウィング改造に取り組み、このところ続けて部長をギャフンといわせている。

「オレのほうが強い」

「いや、本気を出せばオレのほうが強い」

内心では二人とも同じことを考えているが、ムキになっている様子を相手に悟られたくないので、できれば一緒に回らずに、別の組にいて優勝だけはいただきたい。この本音の部分を幹事たるもの、賢明、かつ冷静に読み切って、さりげなく二人を別々に分ける。これでこそ名幹事と賞賛され、部長と次長からも感謝を込めた微笑が送られるというものだ。

また、幹事の心得として、おしゃべり型とむっつり型を一つ組に入れないことである。この場合、必ずむっつり型から次のような抗議が寄せられる。

「うるさくて、ボールも打てやしない。あいつらはゴルフが沈黙のゲームだってことも知らないのか」

だから、たとえば海外部の青木部長に広報の藤木課長、尾崎（健）次長を揃え、その中に金子参与を投げ込むと、参与の神経はズタズタになって幹事を恨むことになる。こうした場合には、比較的ノンビリ屋な新入社員の川岸君とか、八方美人の芹澤君などを中和剤として混入させるのが幹事の知恵である。

社内コンペの目的はあくまで「親睦」にあるのだから、天敵の存在をさりげなく調べながらも広く人材をまぜ合わせ、新鮮な組み合わせを作らなければならない。同じセクションの人間をそのまま組むなど、もっとも非難さるべき手抜きであり、たとえば関西支社の杉原支店長に、同じく関西支社の中村、山本、前田課長を集めて1組にまとめるような真似は、厳につつしまなければいけない。

その人の天敵がだれであるか、本当はひそかに聞き出すことができれば問題は簡単だ。およその組み合わせを作っておいて、気むずかしい人から順番に、内緒でリストを見せて反応をうかがう。

「これでどうでしょうか？　それとも一度はプレーしてみたい相手がいますか？　いまなら組み替え自由です」

ここが幹事の正念場、相手の表情とセリフを真剣に読み取るときだ。

「いいねえ。あいつとあいつも一緒か。こりゃ面白くなるぞ！」

喜色満面ならば、組み合わせは大成功。

「そうだねえ。僕としてはいつも笑っている飛ばし屋の加瀬君とか、人畜無害の牧野君あたりと一度回ってみたいね」

これは不満の声だ。その場合は直ちに将棋の駒を差し替えて、なるべく希望の顔ぶれに整える。水面下工作の結果、全員からツマ弾きにされる筋金入りの天敵は数人に絞られるはずだ。

ある統計によると、二十人のコンペの中に含まれる嫌われ者は、せいぜい二、三人に過ぎないといわれる。

幹事の最後のオットメは、いうまでもなくこの二、三人を当日まとめて引き受けることにある。

近ごろでは、コンピュータを駆使して天敵をあぶり出すハイテクな組み合わせも行われるようになった。その人の成績が芳しくない日、だれと回ったか、過去のデータから同伴競技者の名前をあぶり出していくのである。

人間は身勝手だから、いいスコアが出た日に一緒だった顔ぶれを歓迎し、調子の悪い日には同伴者までが気に入らない。そこで過去のスコアを洗い出し、そのときの組み合わせを基準にするというわけだ。

天敵探しは人生の縮図でもある。複雑な人間関係が把握できないようでは、コンペの幹事はおろか、社会生活でもパーを取ることはむずかしい。

「黄金の5年間」と、ヤング・トム・モリス

わずか5年という短い歳月のあいだに、偉大なヒーローが集中的に現れ、まばゆいばかりの黄金伝説を誕生させたのだから、この出来事はゴルフの歴史の中でも希有《けう》といえるだろう。

コースでの機微を描くのに巧みなジェフリー・カズンズも、この異変に注目、次のように書いている。

「年によって、ワインに出来と不出来があるように、ゴルフにも豊饒な当たり年がある。とくに占星術、突然変異型の遺伝、運命的な現象に関心を持つゴルフ研究家は、1868年から72年にかけての神秘的な5年間に対して、特別の興味を示している」

不思議な運命の糸の概略は、次のようなものである。

「1868年」ヤング・トム・モリスが17歳で全英オープンに初優勝。そのとき、まさに同じ日に、ゴルフ近代化の先駆者サンディ・ハードが誕生する。

「1869年」ヤング・トム・モリス、全英オープンに2連勝。

「1870年」ヤング・トム・モリスが3連勝したこの年の2月、セントアンドリュースから南へ25キロのアルスフェリーの農家で、のちの「ゴルフ三巨人」の一人、ジェームス・ブレード誕生。続いて5月、オーバーラッピンググリップの考案者でも知られるハリー・バードンが、ジャージー島の庭師の家に生まれる。

「1871年」この年、3連勝したら取りきりと決められていたチャンピオンベルトをヤング・トム・モリスが持っていったため、全英オープンは開催不能となった。3月、「三巨人」の最後の一人、ジョン・ヘンリー・テイラーが、ノースデボンの貧しい労働者の次男として生まれた。19世紀後半から20世紀にかけて、世界のゴルフ界に君臨した三人は、ヤング・トム・モリスを真ん中にした近い距離の中で、全員がわずか1年以内に次々と誕生したことになる。なんという不思議だろうか。

「1872年」再開された全英オープンで、ヤング・トム・モリスは空前絶後の4連勝を果たす。

歴史には必ず節目《ふしめ》というものがあって、主役は名もなき庶民の場合もあるが、多くは傑出した人物が流れを変える。黄金の5年間に係わった五人は、ゴルフの歴史を塗りかえる偉大な功績を果たし、ゲームをおもしろくもしてくれた。たとえば早逝したヤング・トム・モリスを別にして、サンディ・ハード、ジェームス・ブレード、J・H・テイラー、ハリー・バードンの四人だけで、なんと17回も全英オープンを制しているのだ。このうち、サンディだけが1回の優勝、残りの16回は「三巨人」が達成したものである。

ところでゴルフとは、知識が豊富にあればあるほどおもしろさの増すゲームだ。かくも私たちを狂わせた球戯のルーツと先達を知るのもゴルフの内。そこで数回に分けて、黄金の5年間を闊歩した英雄たちをご紹介しよう。順序からいって、不出世の天才から。

父親のトム・モリスが「オールド」とか「シニア」と呼ばれるのに対して、1851年にセントアンドリュースで生まれたハンサムな息子は、「ヤング」または「ジュニア」と呼ばれた。父親もまた伝説の人物。80年の生涯のすべてをゴルフに捧げ、セントアンドリュースとプレストウィックでグリーンキーパーをつとめ、全英オープンに優勝すること4回、最後に出場したのは75歳のときだった。

「マッチプレーの鬼」「ゴルフのソクラテス」などの異名を持ち、ボール造り、コース設計も巧みで、いま私たちが苦しんでいるカップの口径は、彼が作って埋めた鉄筒のサイズがそのまま守られている。

ヤング・トム・モリスはゴルフ場で生まれ、クラブとボールをおもちゃに育った。目覚めれば毎朝コースにいる環境はうらやましい限りだが、神童であったことに変わりはない。

その証拠に、全英オープンの覇者である父親と7歳のときパッティングの勝負をして、ついに6カ月間一度も負けなかった。父親は回想録の中で次のように述懐している。

「わしは1打たりとも手抜きをしなかったが、7歳の息子にパットで敗れ、ドライブショットも12歳で敵わなくなった。しかし、アプローチには経験というものが必要だから、この点だけわしに多少の分があった」

13歳といえば我が国では中学生、この年から本格的に競技参加を始めたトムは、アマの名手W・クレイグ選手を一蹴して世間をおどろかせ、続いてS・テーツ選手まで倒してプロとアマの強豪を食ってしまった。

「顔だけ子供、ゴルフは完璧」

天才の出現を、ロンドンの新聞までが書き立てた。

16歳のとき、全英オープンで4位に入って自信を強め、翌1868年、いよいよ「黄金の5年間」の幕が切って落とされる。17歳の美少年は、それまでの優勝スコアがすべて160ストローク以上だった記録を塗り変え、初の157で初優勝。翌69年には父子の対決となったが、息子154、父親157で息子が2連勝。子供に引っぱられた父親も、このとき初めて150台のスコアを出した。

1870年の全英オープンは、プレストウィックで開催された。下馬評ではコースを熟知している父親が有利。しかし前人未踏の3連勝も見たいという観客でコースは異様な雰囲気に包まれていた。その中でヤング・トム・モリスはボールをことごとくピンにからめ、2位に12打差、史上初の149を達成して、まさかの3連勝をやってのけた。父親は20打の差をつけられて4位に甘んじた。

あとになって、彼が試合に使ったフェザーボールよりさらに性能のいいガッタパーチャを「三巨人」が打っても、ついに149というスコアを出すことができなかった。いかにこの試合でのヤング・トムが神がかりだったか、「まるで魔術を見る思い」と書いた記者もいた。

翌71年、チャンピオンベルトを3連勝の勝者に贈ったため、寄贈者のエグリントン卿が新しいベルトを手配しようとした矢先、急逝するという不慮の事態が発生、ベルト不在のため開催が見送られることになった。翌72年に現在の銀製トロフィーがお目見えして、選手権は再開されたが、またもや彼が2位のD・ストラスに3打差をつけて4連勝の偉業を達成した。このときわずか21歳、われらダッファーからは深い溜息が漏れるばかりである。

若く見られることを嫌がったトムは、20歳のころから鼻下にヒゲを貯えたが、これが美男に箔《はく》をつける効果を生み、寡黙だが、笑顔を絶やさず、誰に対しても礼儀正しかった。23歳のときラッシーという美しい娘と結婚して、このままいけばどこまで勝ち続けるかと思われた1875年の9月、親子で組んだマッチに勝利をおさめて戻った彼に、出産で実家に帰っていた愛妻危篤の知らせが待っていた。すぐにヨットが提供され、フォース湾を横切って駆けつけたときはすでに遅く、難産の末母子ともに亡くなっていた。

その日から、トムはクラブを握らなくなった。部屋にこもって悲嘆に暮れる日が、3カ月も続いたクリスマスの朝、母親が起こしに行ってみると、喀血の中で息を引き取っていた。

オールド・トムの背中が、そのころからずいぶんと丸くなった。24歳で世を去った息子について多くを語ろうとしなかったが、葬儀の席でつぶやいたひと言は深い寂寞《せきばく》の思いに包まれていた。

「息子は愛する家族のところに行ってしまったよ。悲劇なんていわんでくれ。息子はいま幸せなんだから」

スコットランドのリンクスを吹き抜ける寒風の中で、会葬者が引き上げたあとも、オールド・トムはうなだれたまま石像のように立ちつくしていた。

ワッグル「22回」の男の言い分

ゴルフ史に偉大な足跡を残した五人の男たちが、わずか5年という短い歳月の中で運命的に会遇《かいぐう》する話をご紹介した。その中心が17歳で全英オープンに初優勝し、以降4連勝の不滅の記録を作った不出世の天才、ヤング・トム・モリスである。

プレストウィックで開催された1868年度の全英オープンで、若きトムが2位のB・アンドリューに5打差をつけて初優勝を飾った同じ日、セントアンドリュース郊外の農家で一人の男の子が生まれた。産婆が間に合わなくて父親が取り上げたといわれるが、なかなかに目鼻立ちのはっきりした子だった。そこで父親は新生児に大きな夢を託すことにして、全世界制覇の野心に燃えたアレキサンダー大王の名前を貰うことにした。

「アレキサンダー・ハード」の誕生である。

ところが長じるに従って親が長い名前を面倒がるようになり、下の部分に愛称を込めて「サンディ」と呼んだ。結局彼は1944年に76歳の生涯を閉じるまで、サンディ・ハードで通すことになった。

ほぼ同年齢でありながら、サンディだけが「ゴルフの三巨人」から外された理由は明快だ。彼は1902年の全英オープンに一度勝っただけ。それに比べて「三巨人」は合計16回も勝っている。優勝回数でマスコミがサンディを除外し、ジェームス・ブレード、ハリー・バードン、ジョン・ヘンリー・テイラーの三人を「三巨人」と祭り上げたわけだが、こうした扱いにもっとも抗議したのが三人だった。ハリー・バードンは自伝の中でこう書いている。

「上位を争う者に実力の差はない。優勝を決めるのは、ボールの最後のキック、ライ、アンジュレーションといった人知の及ばない部分での幸運と不運に負うもので、サンディには紙一重の運がなかった。しかし、私たちは彼からゲームのコツを教わり、実力では彼のほうが上だった」

貧しい家の子は、例外なしにキャディに出て日銭を稼いだが、サンディも9歳から重いバッグをかつぎ、14歳になると大人に混じって賭けゴルフをする腕になっていた。やがてハダースフィールドに招かれてプロの道に入るが、1本のクラブでボールの位置だけ変えて打つ天才技を持ち、右足の前にボールを置いて、どんな強風にも負けない低くて力強いフックを打つかと思うと、同じクラブでボールをかなり左に置き、高くて柔らかいアプローチをグリーンに落とした。1本のクラブで10種類の球を打ち分けるといわれ、「アラン・ロバートソンの再来」と評判になった。

セントアンドリュースのプロで不敗の名手、アラン・ロバートソンは、いかなる挑戦にも二つ返事で応じ、しかも相手の要求通りにクラブの本数を減らした名人である。相手がアマチュアであれば、たった1本でも絶対に負けたことがない強者《つわもの》だった。彼はボールの製造にも才を発揮して、当時のゴルファーは例外なしに「アラン・ロバートソン」の名が入ったフェザーボールを打っていた。オールド・トム・モリスも彼のところに弟子入りして一人前になったが、やがて新しく登場した新ボール、ガッタパーチャをめぐって意見が対立、新ボール支持派のトム・モリスがたもとを分かち独立した。

サンディ・ハードは、このロバートソンの再来といわれるほど多彩な技を持ち、しかも人があきれるほど練習熱心だった。ラフやヒースの茂みはいまも昔も同じだが、当時はフェアウェイの状態が悪く、裸地や砂の吹き溜まりに混って、農作業の馬車が往復して深い轍《わだち》の跡を刻むことも少なかった。彼は、そうしたフェアウェイを地質学者のように観察して歩き、最悪のライを見つけてはそこで練習を始めた。

「自分のスウィングは見えない」

ハリー・バードンやJ・H・テイラーをつかまえて、好きなビールを飲みながら、サンディは口ぐせのようにいった。

「自分のスウィングを見ることはできない。だから答えは体に聞くんだ。腕が痛ければ腕だけでゴルフをしている。腰が痛ければ間違った使い方をしている。足が痛ければスウィングに無理がある。ゴルフの翌朝、私は自分の体の様子を見て、疲れている部分から欠点を学ぶ」

「たしかに早打ちは失敗の元だが、一番いけないのは体を早く起こしてしまうことだ。つまりゴルフでは〝早起き〟が悪いといえる」

多分、そこはスコットランドの片田舎のパブであったにちがいない。サンディは「三巨人」たちを相手にゴルフの真髄を熱っぽく教え続けた。粗末なテーブルにランプが灯り、ジョッキが置かれ、重厚な油絵に描かれた人物画のように闇の中から彼らの顔が浮かび上がって、その誰もがのちにゴルフの歴史に名を残す者ばかり、夢中でゴルフについて語っている、そんな光景が私には見えてくるのだ。

打たれてもひるまずに、執拗に前に出ていくボクサーのような男がどこの世界にもいる。タフな男、今風にいえばダイハードというべきか。ゴルフ界の不死身男こそ、サンディ・ハードではないだろうか。全英オープンだけを見ても、1887年から出場して、1892年に4位の位置を確保すると、そのまま上位陣に腰を据えて、翌年から3位、2位、5

位、5位と続けてベストテン以内を守り、ついに1902年、ホイレークで行われた試合でバードンに1打差でせり勝ち、念願の初優勝を果たす。翌年から再び4位、4位、2位と好位置について優勝を狙い、1906年には全英プロ・マッチプレー選手権で優勝。

さらにおどろくべきは、1920年にデールで行われた全英オープンで、優勝したG・ダンカンにわずか2打及ばず、惜しいところで準優勝に甘んじた6年後の1926年、58歳のときに全英プロ・マッチで二度目の勝利をおさめているのだ。公式競技に初参加してから40年目にまだ優勝している執念と息の長さには、ただ敬服する以外に言葉もない。

選手生活はまだ続く。1939年には、なんと71歳という高齢で全英オープンに出場し、ゲーム終了後、

「やれやれ。4日間のゲームがしんどくなってきおった」

満足そうにこういって、この試合を最後に引退した。ゴルフを始めてから実に61年の長い歳月が経過していた。

「正しいスウィングさえ学んでしまえば、ゴルフは死ぬまで極端にスコアが落ちるものではない。いくつになっても勉強、勉強」

彼はこんな言葉を、私たちのために残してくれた。勉強、勉強と。

ところで、サンディはワッグルの回数が多いことでも有名だった。

つけられたあだ名が「ミスター・ワッグラー」。ショットごとに平均16回もワッグルをくり返し、1902年に優勝したときの最終日には、数人の記者が小さく声を合わせて「1、2、3」と勘定したところ、なんと「22回」もワッグルを続けたケースがあった。

当時のヒッコリーシャフトはねじれが大きく、よく撓《しな》ったために、ワッグルの幅を少しずつ大きくしていってフィーリングが合ったとき、初めてスウィングに移行する利口な方法をサンディは考案、それがワッグルの回数の多さにつながったというのが真相だが、頑固者の彼はそうはいわなかった。

回顧録「My Golfing Life」（1923年刊）の中で、

「みんなは私のワッグルが長いという。だが、ラフの中でミスしたボールを長時間探すよりはるかにマシだろう」

と、悪たれをついている。たしかにサンディ・ハードは、ボールを真っすぐに飛ばすことでも有名だった。

ハリー・バードンの末裔

普通、ゴルファーにはふたつの戸籍がある。ひとつは区役所などに届けられている本名、生年月日といったオフィシャルスコアで、これは頭がヘンになるゲームに毒されていようがいまいが、誰でも平等に持っているものだ。千代田区役所には、天皇陛下の戸籍だってあるそうではないか。

もうひとつは「ゴルフ戸籍」と呼ばれるもので、初めてクラブを握ったその瞬間、まったくの別人物がこの世に発生する。

夢中でクラブを振り回す初期の段階では、その姿が乱舞する精子に似ているところから「受胎期」とされ、まだ戸籍に登記されるまでには至らない。やがて、難産の末にようやく100を切ったとき、このときこそが「誕生日」であり、ゴルフの戸籍に一人前の人間として列記される。もちろん、こちらの世界でも正確な数字はつかめないが、かなりの人数が陽の目を見ずに終わるらしく、それらは「水子ゴルファー」と呼ばれている。

ゴルフ戸籍では、最初に勧誘、またはコーチした人間が「父親」であり、プレー仲間はみな「兄弟」となる。さらにその先をたどっていくと、あまた有名無名のご先祖サマが太古のフェアウェイにひしめいて、果てはスコットランドの荒涼原野に羊を追いながら、野ウサギの巣穴に小石など打ち込んでいたトム爺さんが、実は自分のルーツだったと思い知らされる。

さて、もしあなたが右の小ゆびを左の人差しゆびと中ゆびのあいだに置く「オーバーラッピンググリップ」の実践者だとしたら、あなたは間違いなくハリー・バードンの子孫にあたるはずだ。ゴルフ戸籍の上からいくと、ご先祖の中にかの名手、ハリー・バードン様がいらっしゃるのだ。それというのも、この握り方を考案したご本人が、

「私の編み出したグリップでゲームを楽しんでいる人を見たとき、まるで我が子か親族に会ったような気持ちになる」

と自伝に書いているのだから、間違いようがない。だが、遺伝的に見てもスコアから見ても、どうもそれらしき気配がないと首をひねる向きには、歳月が血を薄めてしまったのさ、とお慰みを申し上げるしかない。なにしろバードンが生まれたのは、1870年5月9日のことだから。

ハリー・バードンは、イギリスのジャージー州グルービルの庭師のせがれに生まれ、キ

ャディのアルバイトをしているうちにゴルフを覚えた。ツゥイードのジャケットにニッカボッカ姿、ハンチングをかぶって、痩せぎすの手足がとても長く感じられる男だった。性格は穏やかで口調が温かく、およそ闘争心をムキ出しに見せることはなかったが、ゴルフは滅法強く、19世紀後半から20世紀にかけて席捲して「ゴルフの三巨人」、このバードンにジョン・ヘンリー・テイラー、ジェームス・ブレードの中でも頭抜けていた。彼は1896年から1914年までのあいだに、6回も全英オープンを制覇する金字塔を打ち立てた。

いまなお95歳でロンドンに健在のゴルフ評論家、トーマス・モームッドは、実際にバードンのプレーを目撃したおそらく最後の生き残りといわれるが、そのプレーぶりをこう語っている。

「ハリーのスウィングには、力んだところがまったく見られなかった。快適としかいいようのないタイミングでボールをヒットして、〝ゴルフに力は無用だよ〟というのが口ぐせだった。おだやかな紳士だが、とくにロングショットの正確さでは、鳥肌が立つほどの凄味を見せてくれたものだった」

三巨人は、揃って1年以内に生まれるという不思議な運命にあったが、兄弟のように仲が良く、異常なほど研究熱心だった。この三人が切磋琢磨《せっさたくま》したことで、19世紀までのゴルフが一変し、近代ゴルフに移行したのである。なかでもバードンは、無謀とも思えるほど大胆なスウィング改造に取り組んだ。

彼によって変革を遂げた内容を並べてみると、まず、それまでの極端なクローズドスタンスをややオープンに構え、まるでボールを切りつけるようにフラットに振っていたスウィングプレーンを、いまの形に近いアップライトに直した。体をねじり上げて頭を残し、腕の使いを自由にしたのも彼である。

さらに、バードン以前のゴルフでは、弾道の低いランニングがゲームの主体を占めていたが、彼は高い弾道のコントロールショットを完成させた。なかでも特筆すべきは、オーバーラッピングという握り方を考案したことである。

1894年ごろ、おそらく三人は好物の黒ビールを飲みながら、グリップについて口角泡を飛ばしていた。J・H・テイラーは、

「最初にそれを提案したのはオレだった」

といっているが、多分その通りだろう。しかし、最後まで試行錯誤をくり返した末に、ついに革命的グリップを完成させたのはバードンである。

「右利きの人は、当然右手が強く働く。その結果、腕の動きはバラバラになって一体化ができない。強すぎる右のゆびを一本減らして、右4、左5の比率にしたならば、それで左

右均等、両腕はバランスよく一体化した動きができるはずだ」

これが、別名「バードングリップ」の基本的な考え方だった。それまでは十本のゆびで野球のバットを握るようにしていたのだから、現在のグリップの歴史はたかだか100年に満たないものである。

彼の新しい握り方は、ほとんど黙殺された。ゴルファーほど自分の流儀に固執する人種もマレだが、そうした気質から考えて、あえて新式のグリップに握り変えようとする者など皆無だった。

ところが1896年、ミュアフィールドで行われた全英オープンで、バードンはJ・H・テイラーをプレーオフの末に破って初優勝を遂げた。もちろん「バードングリップ」で。そのときテイラーは、こういった。

「別にハリーの新式グリップにやられた訳じゃないさ。オレのパッティングに少しばかり問題があっただけさ」

その2カ月後、ダウン州のニューカッスルで行われたアイルランドカップの試合で両者は再び対決、バードンは最初の18ホールを「71」で回り、次もアウトで「32」という9ホールの最少打数記録を達成、テイラーに11打の大差をつけて一蹴した。

たった7本のクラブで、重くて硬いガッタパーチャのボールを打ち、その7本のクラブ中でいちばんロフトの多いものでさえ、いまでいえば7番アイアンぐらいのフェースしかなかった。この道具だけで垂直にえぐられたバンカーからボールを打ち出し、多様なショットを披露し、「71」というスコアを出し、全英オープンに6回も優勝しているのだから、いかにバードンが凄いゴルファーだったか、考えるだに畏敬の念が濃くなるばかりである。

自ら勝利することで、新しい握り方が理論的にも実戦的にもすぐれていることを証明したわけだが、この事実を見せつけられて、ゴルフの世界にオーバーラッピングが一挙に広まった。粗悪な道具の時代に「71」を出した彼に敬意を表して、アメリカのプロの年間平均ストローク第1位には「バードントロフィー」が贈られている。さらに彼は、全米オープンを制した最初の外国人であり、結核療養ののち、1911年と14年、再び全英オープンで優勝している。マレに見る不屈の男だった。

以上が、あなたのご先祖様の肖像である。故人の遺志は、いまグリップにその姿をとどめている。腕前が違うのは、それは頭上の光が強いほど影もまた濃くなる道理、末裔の宿命とあきらめるしかない。

一夜にして「飛ばし屋」になった男

ある晩、不思議なことが起こった。

20世紀初頭のゴルフ界に君臨した「三巨人」の一人、ジェームス・ブレードは、例によって明日プレーに使うクラブ一式をベッドに並べ、1本ずつ点検していた。当時のクラブはヒッコリーのシャフト、油断するとひび割れていたり、ヘッドの接合部分のゆるみにも絶えず気を配る必要があった。

そのうちに、昼間の疲れからドライバーを抱いたまま寝込んでしまい、気がつくと窓の外では小鳥が鳴いていた。身長186センチ、体重90キロの大男が、ドライバーに足をからめて寝る図もユーモラスだが、そのとき奇蹟が起こったのだ。にわかに信じ難いことだが、クラブのシャフトが一夜にして15センチも伸びていたのである。

「そんな、馬鹿な!」

「人を担《かつ》ぐのもいい加減にしろ」

ブレードの話に、だれもが呆れて耳を貸さなかった。

「きみが使っているヒッコリーには、まだ根っこが付いているのかね」

親友のハリー・バードンやJ・H・テイラーまでが、そういってブレードをからかった。

「三巨人」の中ではもっとも遅咲きだったが、いっぺん花開くと、強烈な個性に加えて相手を破壊的に叩きのめす豪打で一時代を築いた彼は、いたって寡黙な努力家ではあるが、決してホラ吹きではなかった。その男が、血相変えて真剣に訴え回ったのである。寝ているうちに、シャフトが15センチも伸びてしまった、と。

このナゾ解きはあとにして、ブレードはしばらく狐につままれたように茫然としていたが、やがて不気味な魔法の杖をおそるおそる持って近くのホームコース、ラムフォードに行くと、長いドライバーでボールを打ってみた。すると、どうだろう、その朝二度目の奇蹟が起こったのだ。

「おどろいたことに、自分でも呆れてしまうほどボールが飛んで、飛んで、はるか豆粒のように消え去ってしまった。二発目、三発目と打つに従って、飛距離は伸びる一方だった。神が私に奇蹟を与えて下さったのだ。私はその場にひざまずいて、深く感謝の祈りを捧げた」（「Advanced Gold」1908）

それまでのブレードは、体軀に恵まれながら「三巨人」の中でも最も飛距離の乏しいプロだった。彼の伝記を書いたバーナード・ダーウィンによると、かなりアップライトなライ角度のクラブで、しかも短いシャフトを好んだために、打っても飛ばない道を歩んでいたのだという。

「身長にそぐわないクラブをツマ楊子のように持って、深く背を曲げてアドレスする彼の姿は、まるで落穂拾いの農夫を連想させた」

ダーウィンはこう書いている。

ボールは飛ばなかったが、アップライトな軌道の持主だけにコントロールは抜群。19歳で農業を営む生家を出奔した彼は、セントアンドリュースで働きながら、ゲームのしぶとさではプロ仲間からもいやがられていたアンドリュー・カーカルディにゴルフを教えられ、たちまちスクラッチを突き抜けてプラス3の腕前になった。

当時のセントアンドリュースは『水滸伝《すいこでん》』の梁山泊《りょうざんぱく》と同じ、のちの英雄豪傑がしきりに出没するにぎわいを見せていたが、仲間が次々に大舞台で活躍するのを尻目に、ブレードは日がなアプローチの練習ばかりしていた。ダーウィンによると、

「それは、飛距離をあきらめたゴルファーの屈曲した練習風景」

に思えた。ところが、のどから手が出るほど欲しかった特大の飛距離が、一夜にして我が物となったのだからブレードは欣喜雀躍、奇蹟の朝から数えて5日後には、もう長い魔

法の杖を完全にマスターしていたという。

1901年、全英オープンを前にした新聞の予想記事には、なんと「当代随一の飛ばし屋ブレードが有利」と書かれている。あの朝以降、バードンやテイラーが奥歯をきしませてボールを叩いても、ブレードの飛距離には追いつけなくなっていた。こんなことって、あるのだろうか。

予想通り、ブレードは2位のバードンに3打差、3位のテイラーに4打差をつけて全英オープンに初優勝した。「タイムズ」の記事は次のように書いている。

「豪打は唸りをあげてミュアフィールドの大空をふたつに切り裂き、ロングホールではことごとく2打目がグリーンをとらえた」

仲間に6、7年遅れをとったが、ようやくブレードの時代が到来したのだ。しかも、ひとたび優勝すると10年間に5回も全英オープンを制し、1899年から1912年までの13年間という歳月、ただの一度もベスト5位から落ちない強さを発揮している。

たくさんの記者が、この不思議な出来事を記事にするためブレードのもとに押し寄せた。彼はしゃべっても書いても簡潔に表現する才能に恵まれ、口数こそ少なかったが、ウイットに富んだ言葉は温か味に溢れていた。

「奇蹟は存在するよ」

と、インタビューに応じた。

「私は眠りの深い男だ。一度目を閉じたら最後、ノコギリで首をひかれても起きる気配はないと思う。もし誰かが忍び込んで、私のクラブのシャフトに細工しても、まったく気がつかないのは事実だが、わずかな時間内でヘッドとグリップはそのままに、シャフトだけ交換するのは物理的に不可能だ。いろいろな角度から考えてみたが、やはりあれは奇蹟だと結論したよ」

いまと違って、ニカワと植物性の接着剤を根気よく塗り重ねる当時のシャフト交換の技術からすると、たしかに彼の睡眠時間内でその作業をやり遂げることは不可能だった。

41インチのドライバーを振っていた男が、46インチの長尺を神から授かり、1904年には全英オープン史上初の1ラウンド60台のスコアを出し、さらに1910年、セントアンドリュースで初めて4日間300を切る299という記録を達成するまでに変貌したお話は、1950年、ご本人がロンドンで帰らぬ人となってミステリーのままに終わった。凄腕は死ぬまで衰えを見せず、78歳で「74」という驚異のエージシュートをやってのけている。

さて、ここにしつこい男が一人、登場する。「イブニング・スター」の記者、ジェス・マングラムは図書館勤務から新聞記者に転身した変わりダネだけあって、ブレードの伝記に書かれた「奇蹟の夜」に異常な興味を抱く。そこで、当時彼が世帯を持ったトークス・ローの家を手始めに、徹底的な取材を試みる。ゴルフ関係者の生き残り、近隣の人からも話を聞き集める。そして、「演じられた奇蹟」と題するコラムを発表した。

それによると、飛距離に悩むブレードの姿にもっとも心を痛めたのは新妻のシンシアだった。愛らしくて春風のように優しい彼女は、のちのブレードのクラブ工房で苦楽を共にすることになった名工ロバート・ホースブローに相談、二人は寝入った彼の腕からドライバーをソッと抜き取り、徹夜で長いシャフトと交換、接着部分は弱火に数時間かざして乾燥させた。短いクラブに固執して、あたら才能を無駄にする彼を納得させるには神の力を借りるしかなかった。ブレードを想う二人は秘密を誓い合い、1941年には誓いを破ることなくシンシアは永眠した。コラムの最後は、こう結ばれている。

「奇蹟は神と天使によって行われるものだが、シンシアこそ天使と呼ぶにふさわしい女性だった。彼女は愛する人を偉大な男に育てた」

元旦の朝、スコットランドを走る

「全英オープンに5回も勝って、初優勝が1894年、5回目の優勝が1913年、この間に20年の歳月が流れている。ジョン、きみのゴルフの強さはどこにあると思うね？」

「技術的にかね？」

「じゃ、まず技術面から話してもらおうか」

「ヒールアップを極力抑えること。かかとが上がったり下がったり、それにつれて体も上下動する。だからクラブヘッドが元の場所に戻らないでミスになる。まったくヒールアップしないパッティングを見給え。トップしたりダフったりすることは滅多に起こらないだろ？　ゴルフはベタ足が上達のコツだ」

通称「J・H」こと、ジョン・ヘンリー・テイラーは、19世紀末から20世紀にかけてゴルフ界に君臨した「三巨人」の一人だが、珍しや、1932年の「カントリー・ライフ」誌で、評論家のC・アンダーソンと対談をしている。この雑誌にはバーナード・ダーウィンも長いこと随筆を連載していて、雑誌のバックナンバーは大英図書館に完璧の状態で保存されている。そのサワリの部分。

「ほかには？　ジョン」

「コンパクトなスウィングを身につけること。クラブは大きく振れば振るほど、あっちこっちに間違いが発生しやすくなる。小さくまとめたスウィングから大きな間違いは生まれないものだよ。トップで右脇を締めれば、グリップは右肩より上に行かないはずだ。フォロースルーはその反対、左脇を締めるから小さなフォローになる。これがマスターできたら一人前だ」

「よくわかった。ところで精神面についてだが、一般ゴルファーの役に立つアドバイスをもらえないか」

「ゴルフをどう考えているか、それによってその人のゴルファーとしての価値が決まる。たとえば、このゲームを単なる娯楽とみなす者には、ゴルフは永遠に解き難いナゾとなるだろう。ゴルフは単なる娯楽ではない。本質は祈りに似ている。神の前、祖先の霊の前で祈るとき、人は誰でも敬虔《けいけん》な気持ちになるものだが、その敬虔さをもってゲームにのぞんだ者だけが、ゴルフの精神に触れることができる」

「しかし、娯楽と考えてゲームをエンジョイしている人もいるね」

「その通りだ。彼らはすばらしい庭園のある森の入口で騒ぐ観光客にすぎない。ゴルフという名の深奥の森に足を踏み入れず、それでいて〝行ってきた〟と自慢する人に似ているね。あるいは、百科事典を買ったものの、ページをめくらずに積んでおく人たちだ」

「ゴルフの精神と醍醐味を理解するためには、どうプレーすべきだろうか」

「ふざけたり、不真面目なプレーを厳につつしむこと。軽率なプレーは、まずゴルフを馬鹿にし、同伴競技者を馬鹿にし、自分自身も安っぽい人間だと天下に公表しているようなものである」

まさに謹直誠実なテイラーの素顔が、この対談でさらに明らかになった感がある。

英国プロゴルフ協会の生みの親であり、相手がビギナーであっても真剣にプレーし、「マッシー」（いまの5番アイアンに近いもの）を考案してゲームに勝ち続けた彼は、プロの鑑《かがみ》と呼ばれてR&Aの終身名誉会員にも推挙されている。

バーナード・ダーウィンは、テイラーの厳格きわまりないプレーぶりを評して、

「彼は、ゴルフを嫌うがごとくプレーする」

と名言を吐いた。実際、あまりに真剣の度がすぎるので、親友のハリー・バードンやジェームス・ブレードさえも、いざゲームが開始されると、

「息をするさえ遠慮してるよ」（バードン）

「喰いつかれないように、なるべく離れて歩くんだ」（ブレード）

と気遣いをみせた。

たとえ相手が誰であろうと、テイラーはルーズなプレーを許さなかった。のちのウインザー公がまだプリンス・オブ・ウェールズのころ、短いパットを外して、残りの距離をカップの向こう側からパターでかき寄せたことがある。それを見たテイラーは、きびしく叱った。

「殿下！　ゴルフにそのような打ち方はありません。両手で正しくグリップして、フェースでしっかり打つのです。もう一度やり直してください」

プリンスは深く恥じて彼のいう通りに打ち直し、自らに2罰打を課した。

また、政財界に大きな力を持っていたリッデル卿とプレーしたとき、卿のロングパットが惜しくもカップのふちに止まってしまった。残念がった卿はボールに近づくと、スパイクの先端でそれを蹴って入れ、おどけた仕草をしてみせた。さあ、テイラーが怒った。

「フットボールの真似をするとは、ゴルフを何と心得る！」

こぶしをワナワナと震わせて詰め寄り、

「いま、この場で、二度とふざけた真似はしないと誓わない限り、私は永久にあなたとゴルフはしませんぞ！」

卿は蒼白になって謝罪し、これからは真剣にプレーすると誓約した。コースに出れば身分は平等、ゲームを汚す行為に容赦を加えないこうした気骨が、ゴルフの伝統を培《つちか》ってきた。テイラーを短気な男と片づける向きもあるが、どうして、これほどゴルフを敬愛した熱血漢もマレである。

「ところで、ジョン。きみは18歳からプロの道を歩きはじめているが、プロになった動機を聞かせてくれないか」

「私は軍人になろうと思って、入隊検査に出向いた。すると170センチの私の身長では3センチ不足、さらに弱視と扁平足が発見された。係官は私の扁平足を笑って、こういったものだ。〝お前さんの足じゃ、いまの稼業のキャディも長続きしないね。船乗りに転職したらどうだい？　歩かなくても稼げるぜ〟

それで軍隊をあきらめて、扁平足でも強いゴルファーになろうと決心した。私はボールを打つのと同じだけの時間、いつもマラソンをして足を鍛えた。ゴルフは足のゲームなんだよ」

たしかにJ・H・テイラーは、絶えずスコットランドの山道を走っていた。1933年の英米対抗ライダーカップでは、イギリスの主将としてチームを勝利に導いたが、このときも選手を集めて毎朝2時間のマラソンだ。早朝6時に起床、直ちに砂丘を走らされる選手たちは不満たらたらだった。するとテイラー、爆弾を落とした。

「アメリカに負けても平気なやつは、たった今、走るのをやめろ。勝ちたい者だけついてこい！」

この強化トレーニングが功を奏して、ようやくイギリスが勝利を納めた。彼は1926年の全英オープンにも出場しているが、このとき55歳だった。

「スコットランドの冬は、北極より寒い」

そういいながら、50歳を過ぎても彼はマラソンを休まなかった。とくに新年を迎えると内なる闘志が抑え切れず、決まって戸外に飛びだしていくのが恒例だったと、バードンは書いている。

重くたれ込めた鉛色の雲、吹きすさぶ風が雪を舞わせる村の道を、元旦に走る男。私にはJ・H・テイラーのゴルフに賭ける執念の息遣いまでが、はっきりと聞こえてくるような気がする。

ジョン・ウェインは、なぜボールを打たなかったか

暗雲にまぎれて、1個のゴルフボールがスコットランドから脱出した。彼は大西洋航路の客船に潜り込んでアメリカに上陸すると、40年も各地をさまよった挙句、ようやく太陽が1年中輝くカリフォルニアを終着地と決めて、勢いよくパチン！　と弾けた。1930年代、イギリス人が眉をひそめて呼ぶ「ゴルフ狂騒曲時代」のはじまりだ。

実際、この陽気すぎる土地にやってくると、なにもかも底抜けの大騒ぎになってしまうのだが、それもシカゴでは豪雪、こちらでは半裸で水遊び、その原因はすべて恵まれすぎた上天気にある。もちろん、ゴルフも例外ではなかった。

「伝統？　そいつはどんなカクテルだい？　とりあえず1杯もらおうか」

「格式？　わかったぞ。新型フォードの名前だな？」

ここの連中ときたら、数世紀にわたってかたくなに守られてきたものの中から「哲学的部分」を酒の空ビンと一緒にクズ籠に投げ込み、ゲームだけをいただくことにした。

1948年ごろになると、カリフォルニアの空は飛び交う白球で陽光が遮られ、とくにロサンゼルスあたりでは、美女を満載したゴルフカートが市中にまで溢れて交通渋滞を起こす騒ぎとなった。そう、極彩色の新種ゴルファー、ハリウッド・スターたちのご登場だ。

放送作家のマーク・ヘンドリックスは、是が非でも「ロサンゼルス・カントリークラブ」の会員になりたかった。ここは西海岸のセントアンドリュースといわれ、格式張ったことで有名だった。メンバーとしての適性は、パサディナに自宅を構え、自家用ヨットを持ち週に少なくとも1回以上は著名人のパーティに招待されること。そして、家族に映画スターがいないこと。

マークは理事長と面接した。

「お仕事柄、芸能界の方とは仲がよろしいでしょうな」

「私は台本を書くだけですが、まあ、友人はたくさんいます」

「もし入会されれば、当然お友だちをお連れになりますな。私どもでは芸能関係者のプレーを歓迎しておりません。そこで、ヒルクレストGCをご紹介したいと思います」

「なぜ、芸能関係者はマズいのですか？」

「以前、猟銃を持ち込んで、11番の森でキジ狩りをしたケースが1件、7番の池に同伴した女性と飛び込んで、全裸で水泳を楽しんだケースが1件、ご自分の昼食を外部のレストランから12皿も届けさせたケースが1件、以上の乱痴気騒ぎから、当クラブでは芸能関係者の入場をお断りしております」

そこでマークは、仕方なく映画スターたちによって設立されたヒルクレストGCに出向いた。

「ご高名はかねがね承っております。当クラブでは紳士の入会を心より歓迎いたします」

紳士という言葉がひっかかったマークは、先のロサンゼルスCCの理事長の渋い顔を

思いだして、自分は清く正しくプレーに専念するゴルファーであることをアピールしておこうと思った。

「最初に誓って言うけど、私は映画スターを連れて猟銃を乱射したり、ウォーターハザードで泳いだりしないからね。これでも本物のゴルファーのつもりなんだ」

「おや？　私どものクラブはスターの社交場として発足したもので、皆様は我が家同然にくつろいでおられます。昨日も有名なスターの主催で裸足《はだし》のコンペが盛大に開催されました。そうしたご主旨でしたら、リビエラCCに行かれたほうが……」

しまった、と思ったがもう遅い。マークはリビエラに行くと、微笑しつつも沈黙を守って、ようやく入会が許可された。それから20年ほど経って、彼はコース内の出来事をおもしろおかしく雑誌に寄稿した。おかげでリビエラがどんなところか知ることができたというわけだ。

7100ヤード、パー71のコース、南カリフォルニアでオープン競技が開催される唯一の場所だけあって、週末にゴルフを楽しむ人は避けて通ったほうが賢明だといわれる。理由は難易度の高さだけではない。ここは、賭けゴルフ師の溜り場なのだ。

これまでのところ、全財産をスルーザグリーンで失った戦没者名簿には、全米で17の病院を経営していた富豪の理事長、ヨーロッパの伯爵、レコード会社社長、石油産出国の陸軍大臣、アカデミー賞をとったこともある映画スターなどが名を連ねている。リビエラCCは、ゴルフのハスラーとして、いまや歴史的人物になりつつあるタイタニック・トムソンの国であった。

ストロークはもちろん、次に上空を飛ぶ鳥は東西南北のどっちから現れるか、今度フェアウェイで見かける犬は何色か、なんでも賭けの対象になる。こうなればアルコールを燃料に、名物ユーカリの木越えショットまで賭けてしまうディーン・マーチンの独壇場だ。

歌手と俳優、両方で稼ぎまくってきた彼の本業について、フランク・シナトラは、

「賭けゴルファーだよ。それも天才の」

といっている。

「知らないのは税務署だけ。ディノは映画1本のギャラ全額を賭けようとしたことさえある。すると相手の宝石商は、しばらく考えてからこういった。"レコード1枚分にしてもらえませんか?"」

ディーン・マーチンはいつも4、5組で乗り込んできたが、その中にはブルース・デブリン、レイ・フロイド、サム・スニード、パーマーと一緒のときもあった。18番が終わったカートの中では、だれかが小切手にサインをして、だれかが口笛を吹くドラマが展開されたが、マークによると、その利子だけでも本場のリビエラで半年ほどバカンスが楽しめ

る額だった。

　コースには、まるで有名スターの慈善ショーを思わせる顔ぶれが連日押し寄せて、笑ったり騒いだり、稼いだり取られたりしていたが、ときにはミッキー・ルーニーのように、あまり騒ぎすぎて除名になる者もいた。

　ここには二つの伝説がいまも生きている。一つはボギーこと、ハンフリー・ボガートに関するものだ。酒癖の悪いプロデューサーに挑発されたボギーは、翌朝、久し振りにクラブを握ったというのに「73」でホールアウトしてみせた。ここのプロのマック・ハンターによると、

「1週間も練習すれば、ボギーは60台のスコアで回る名人だったよ」

　もう一つの伝説は、メンバーでありながらついにクラブに現れず、ゴルフそのものをしなかったジョン・ウェインの不思議な存在である。

　いつかゴルフを始めようと思って入会だけ済ませておいたのだろうか？

　マーク・ヘンドリックスの意見は、こうだ。

「彼は西部で大暴れしたあと、バターンを奪回し、硫黄島の山頂に星条旗を立て、休む間もなくグリーンベレーの隊長として戦い抜いた英雄なんだ。それほどの男が、地べたに転がるちっぽけなボールを相手に、ムキになれるわけがないだろ？」

ゴルファーのおいしい食べ方

愛《いと》しい女性を抱き寄せて、夜空にきらめく星について熱っぽく語り続けたとしても、彼が天文学の講義を展開していたとは限らない。

同じように、かつて西インド諸島からアフリカにかけて広く賞味された「特別料理」について私が熱っぽく語ったとしても、それは諸兄姉を美食の世界に誘《いざな》おうとするものではない。

以下は、まぎれもなくゴルフの物語であり、過酷に満ちたゲームの終わりに待ち受けるシステム誕生の秘話でもある。

さて、この「特別料理」については先人たちが多くの文献を残してくれた。食通のA・クリヤック夫人が鮮やかに描いた『クロエ・モンデジールのおいしい料理法』、植民地の食風習を書いた秀作のE・カトリーヌ著『異国の本場料理』、かの才人フランソワ・ペレーまでが『ファタ男爵の滋味豊かな物語』を出版して、世間をギョッとさせている。

しかし、とりわけ傑作と評判が高いのは、なんといってもシーブルックが書いた『アフリカの食卓』という一冊、これにまさるものはない。あまりの筆力に仰天したローマ法王庁が、この本を発禁処分にしてしまったほどである。

熱心なゴルファーでもあった奇妙な旅行作家、W・B・シーブルックは、スコットランドに生まれてロンドンに学んだ。やがて調味料《スパイス》の買い付けで西インド諸島まで出向くようになって、30歳ごろから旅行記を発表しはじめている。

シーブルックの名前が一躍有名になったのは、1834年6月1日に発売された人気雑誌『記録《ザ・ドキュメント》』の次の記事だった。

「私は彼らと寝食を共にしていたおかげで、多くの人種を味わうことができた」

淡々と、乾いた文体で味覚体験を綴っていく。

「ヨーロッパ人の肉は、酸味を伴って塩辛い。お世辞にも美味ではなかった。さらにいけないのが黄色人種の肉だ。腐った油のような匂いが強く、食欲が起きない。どちらも推奨できるシロモノではない。その点、旨いのはオセアニア人だった。彼らはハシバミの実に似た芳香を有し、柔らかく、上等の仔牛を思わせる味だった。部族の連中にとっても、オセアニア人は歓迎すべきご馳走だった」

そんな、不快そうな顔をしなさるな。

われらの祖先が喫人《きつじん》を嗜好してきたのは歴史的事実である。インカ人は「手が2本ある哺乳動物」と呼び、中国大陸では「両脚羊」（2本足のヒツジ）と巧みな表現で珍重してきた。

いずこの国でも飢饉のたびに行われた常識的食物連鎖のひとつであり、近い例では、アンデス山中に墜落したサッカーチームのメンバーが、この緊急手段によって生き延びた事実もある。これこそがフランソワ・ペレーのいう、「同胞を癒《いや》せるのは同胞だけ」の好例ではないだろうか。

シーブルックが親しみを込めて〝彼ら〟と呼ぶのは、アフリカ象牙海岸（コート・ジボアール）に住む人食い人種、ゲレ族の面々。といっても喫人の風習はお祭りか戦勝祝いに限られ、日ごろは山芋を主食に、果実を発酵させた酒をこよなく愛するのどかな暮らしを送っていた。

彼らの集落に迎えられたシーブルックは、ある日、望郷の思いから堅い木を削り、1本のドライバーを作り上げた。ゴルファーは、どこにいようともゴルフが頭から離れることはない。ボールは、ジャングルに転がっている「ボランゴ」の円形の木の実が、硬さ大きさともに本物そっくり、不自由することはなかった。

彼はドライバーを持って浜辺に出ると、さっそく砂をつまみ上げてボランゴをティアップ、アフリカ大陸における記念すべき第一号のティショットを放った。ときは1827年ごろ、トム・モリスは6歳からクラブを握ったといわれるから、まさに同じ時期の出来事だった。

褐色の天才ゴルファーたち

「彼等はたちまちゴルフの魅力にとり憑《つ》かれてしまった。まれに狩猟することはあっても、ほとんど終日ゴロゴロしている身、途方もない時間を持て余している男たちにとって、ゴルフにまさる娯楽がこの世にあるだろうか。長老までがクラブ作りに熱中し、私のスウィングを真似るのに忙しかった。ゲレ族は、老いも若きもゴルファーに転身してしまった」

暗黒の大陸で、1800年代の初頭にゴルフが行われていた事実にもおどろかされるが、さらに愉快なのは食人種が最初のゴルファーであったことだ。

おそらく、シーブルックもゴルファーの習性から熱心にスウィングを教えたにちがいない。当時のグリップはベースボール、かなり広いスタンスから切りつけるように水平に振って、フォロースルーは左肩の高さで終わり。これが1800年代初期のスウィングだった。

「酋長、ヘッドアップしているよ。獲物を仕止めるときのように、ボランゴをしっかり見て打つんだ」

「きみのはスウェイだね。左右に動きすぎるから飛ばないし、方向性も悪くなる。力を抜いて、もっと軽く振ってごらん」

褐色に染めあげられたジャングルの戦士たちが、腰ミノ姿でシーブルックを取り囲み、1、2の3でクラブを振る。まわりの女子供はそのたびに笑い転げ、口々に囃《はや》し立てる。この陽気で善良な連中が人食い族だとは、とても信じられないことだった。

固い砂地の浜辺を選んで、そこに彼は3ホールを作った。

「ジャングルとの境界にある理想的な場所を見つけたが、問題はパッティングだ。私の悩みを理解した連中の一人が、しばしばこのあたりに打ち上げられる難破船の帆布を引きずってきた。このアイデアはすばらしい。布のサイズの都合で大きなグリーンは作れなかったが、プレーのたびに表面を掃き清めることで、とりあえず申し分のない平らな場所が確保できた。こうして〝ゲレ・ゴルフクラブ〟は誕生した」

こうなれば、日がなゴルフ三昧だ。夜が明けるのを待ちかねた連中が、鳥より早くコースにとび出して大騒ぎ。ときには誤球をめぐって取っ組み合いのケンカも発生した。そこらに落ちているボランゴの実はどれも同じ、ケンカの種はつきなかった。

「やがて私は、おどろくべき発見をした」

彼は『アフリカの食卓』の中で、考古学、人文学にも大きな影響を与えかねない新事実を書いている。

「連中は、とても私には判読できない奇妙な絵文字を砂に書きながら、だれがいまアップしているか、ゲームの流れを正確に把握しているのだった。その記号は、まるで聖刻文字《ヒエログリフ》のようにも見えた」

これまで、書くことを知らないといわれてきた原住民が立派にスコアをつけていたのだから、シーブルックならずとも一驚して当然の話だ。

当時はまだストロークプレーが生まれておらず、ゲームはすべてマッチプレーによって行われた。それだけにアップとダウンの計算は参加者が増えるほど面倒になる。ところがゲレ族のゴルファーたちは、独得の記号でそれをクリアしていたのだ。

さらにおどろいたのは、彼らの頭抜けたリズム感と運動神経である。たちまち追いつき追い越された彼は、「天才が揃っている」と感嘆し、さっぱり進歩しない我が腕を自嘲している気配を見せる。ゴルフで大切なのはリズム感、音痴の人は上達が遅いと、シーブルックはゲレ族に教えられた。

およそ7カ月間、この地に留まってゴルフに熱中していた彼は、陸路モンロビアに出て一時帰国をする。滞在期間中、不思議なことに喫人行為はまったく行われなかった。あれはゲレ族を中傷するためのウワサだったのかと思い、シーブルックは悪評を忘れることにした。

2年後、30本ほどのクラブを土産に再び象牙海岸を訪れて、彼は目を丸くした。連中はさらにゴルフがうまくなっている上に、このあたり一帯の部族にまでブームが広がって、しきりに対抗戦が行われていたのである。

彼は知らなかったが、そのころゲレ族では年に一度の謝肉祭を迎えようとしていた。

スライスは「調味料《スパイス》」にまみれた

その日の部族対抗試合も、絶好のゴルフ日和に恵まれていた。赤道直下のこのあたりでは、日中の気温が摂氏45度になることも珍しくない。そこで試合は午後3時ごろから双方の応援団が踊りはじめて、4時ごろティオフ、ゲームは3ゲームだけと決まっていた。

シーブルックは、コースの全景が見渡せる小高い密林側の木影に陣取って、世にも珍妙なアフリカン・オープンを観戦することにした。

「ロンドンの連中に、ひと目でいいから見せてやりたい光景だ。身に勇猛果敢な戦闘衣裳をまとったゲレ族の戦士が、狩猟ならぬゴルフをプレーしている。この姿を信じる者がいるだろうか」

双方の部族から各1名の代表選手が登場、いよいよ熱戦の火ぶたが切って落とされた。ボランゴの実は、いくらひっぱたいても100ヤードが限界、そう思っていたシーブルックは、選手たちの飛距離に仰天した。彼らは150ヤードも飛ばすのだ。しかも選ばれた者だけに、ショットは正確で力強かった。

1打ごとに双方の応援団が大騒ぎする中で、ゲームは伯仲、1、2番ホールともに「ライク」の勝負だった。当時のマッチプレーでは、独得の用語を使ってお互いの打差をつけ合っていたが、同数は「ライク」、1打差は「オッド」、2打差は「ツーモア」、3打差は「スリーモア」といった。

決着は3番ホールに持ち越された。その第1打、相手選手の打球は大きくスライスしてジャングルの中に消えた。茂みの奥で二度三度とクラブを振ったが、すでに勝負の行方は明らかだった。

ゲレの選手は3つでグリーンに乗せて、早くも応援団の叩くドラムに合わせて戦勝のステップを踏んでいる。

長老が何か叫んだ。あたりは不意に静かになって、ゲレ族の数人がジャングルの中に走り込み、しばらくすると相手部族の一行が音もなく引き上げはじめた。スライスを打った選手は、ついに姿を現さなかった。

「その晩、新しい葉に包まれた羊の股の肉より小ぶりの切り身が、棕櫚《しゅろ》のオイルを塗りながらゆっくりと焼かれた。途中から赤唐辛子と塩が中心の調味料も塗られ、やがて、タピオカ、山芋、パンの木の実、甘くないバナナが添えられ、みなの前に供された。

これがスライスによって身を滅ぼした男の末路であることは疑いようもない。右手の返しが少し遅れたばっかりに、彼は晩餐のメインディッシュになってしまったのだ」

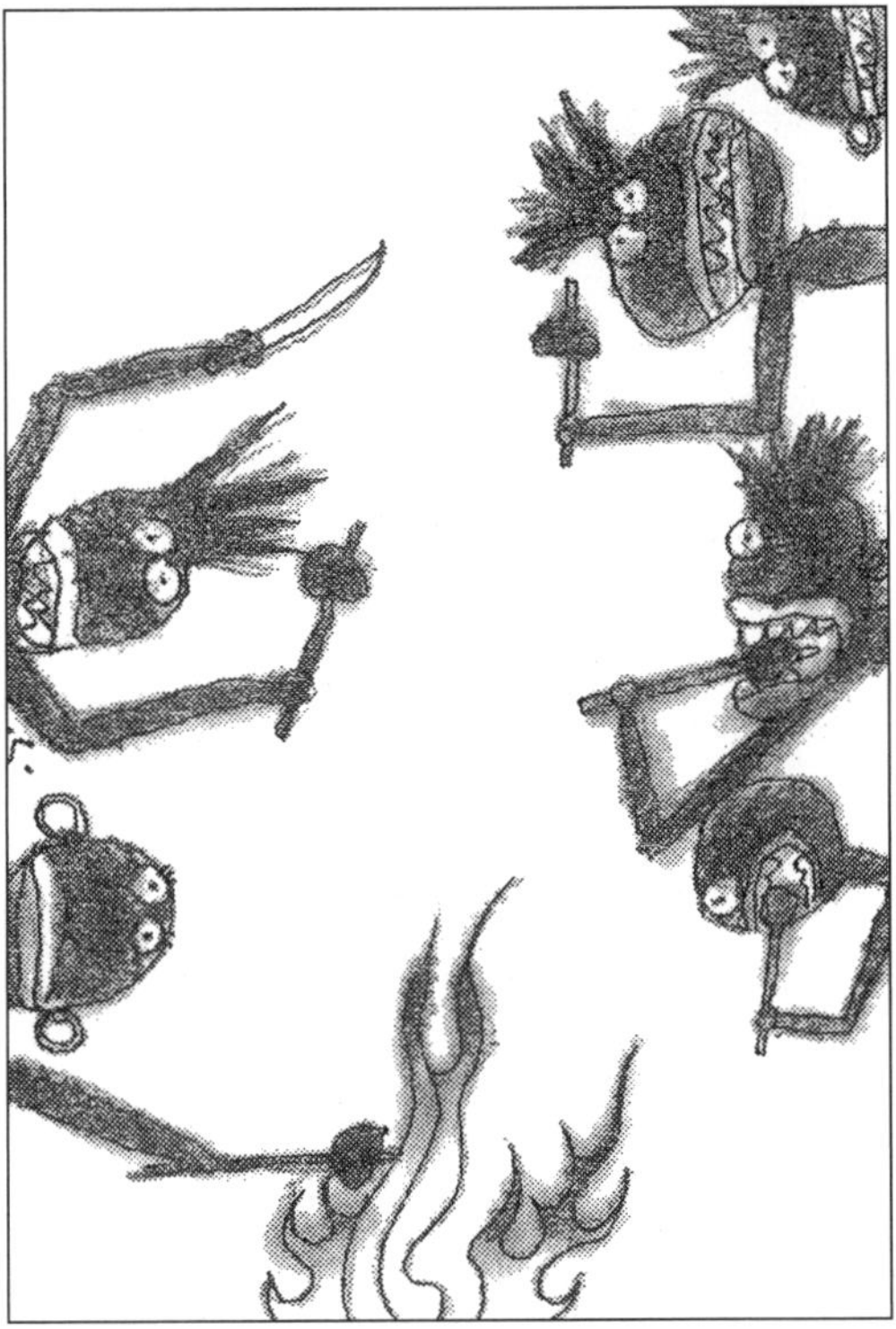

一緒に食べることが仲間の証《あか》しだといわれて、シーブルックは酒の助けを借りながら恐る恐る口に入れる。

「心の底から突き上げる嫌悪感と闘い、ようやく嚥下《えんか》したあとの印象をいえば、香ばしくて、柔らかくて、野豚のようにひと掃きの甘さがあった」

このあたりに漂着した船員や乗客が、およそ1カ月にわたって続く謝肉祭の期間中、巧みに料理されて食卓をにぎわした。とくに一昼夜かけて香草と煮込むゲレ風シチューは、

「ロンドンの一流レストラン並みの旨さだった」

と、いっぺんタブーを破って度胸がついたシーブルックも保証している。

かくして、ゲームの最後に敗者を待ち受ける非情の掟、「突然死《サドンデス》」がここに誕生した。

ゴルフはいのちを賭けて真剣にプレーするゲームであり、たった一発のスライスが死に直結する恐ろしさを、象牙海岸のゴルファーは身をもって私たちに教えてくれた。

さて、コンペ前夜、きみに遺言状を書くだけの不退転の決意があるだろうか。

いや、ことはゴルフにとどまらず、いまや迫りくる地球規模的な食料危機に直面したとき、自分は食べる側に回るのか、それとも同胞を癒す側に回るのか、そろそろ決断して心の準備に取りかかる時期が近いようですゾ。

フェルナンデスの憂鬱

コース設計家は、大自然をキャンバスに一幅の名画をイメージする。出来上がったコースに生命《いのち》を吹き込み、それを守るのが、フェルナンデスのようなグリーンキーパーと管理者たちの仕事だ。

ほとんどのゴルファーは、彼らの存在に気がつかない。コース管理の世界にも伝統があって、名門ホイレークで30年もグリーンを守り、全英オープンを常に成功させてきたジム・ラニアンの名セリフ、

「管理者は、黒子《くろこ》たれ」

この掟がいまだに生きているからだ。

夜明けと共に、彼らは一斉に芝刈機にとび乗って各ホールに散っていく。グリーンキーパーはその日の天候と客の予約状況を考えながら、旗竿の位置、ティマークの場所を決めて歩く。雨のくる気配が濃厚ならば、水が溜まりにくいグリーン奥の傾斜面を選んでカッ

プを穿《うが》つ。

ゴルフ日和《びより》で満員が予想される日は、ティの位置を前に出して、OBやペナルティ地域に打球が行きにくい場所を考える。さらに、旗竿のポジションをなるべく手前のやさしいラインに設定する。これでゲームの流れがよくなるはずだ。彼はゴルフの演出家でもある。

次に、もっともボールが入りやすいバンカーの砂の量をチェックする。ひどい時には1週間で2トンもの砂が、煙のように消えてしまうことだってある。それだけの砂が撒き散らされたグリーンは、当然ボールの走りが悪くなる。そこで最初のパーティーがやってくる前に、バンカーに近いところのグリーン上の砂を掃き出しておかなければならない。

「夜明けから午前10時までが、1回目のおつとめ時間だ。10時ごろには、第1組が9ホール目に現れる。そこでわれわれはソッと退散して、遅い朝食をとる。なるべくゴルファーに姿を見せないように気を使いながら、全部のホールをきれいにするのは、並みの忙しさじゃないぜ」

フェルナンデスは、〝ココ〟と呼ばれている。親父は移民、フロリダのゴルフ場で草刈りをしていたが、落雷に当たって急死、ココは19歳からこの世界に入って40年になる。

人気者の彼は、これまでに多くのコースを美しく仕上げてきた。名の知れた設計家がココを呼びたがるのだ。ロバート・トレント・ジョーンズ、トム・ファジオ、ピート・ダイ、ボン・ヘギーらの作品を地味に守って、いつしか40年の歳月が流れていた。

「設計家には2種類ある。たとえばオークヒルCCを作ったドナルド・ロス、ウイングドフットの設計者アルバート・ティリングハースト、現代の大御所R・T・ジョーンズ。こういった人たちは、戦略的なコースを創造する天才だ。考えるゴルフを要求して、その人の腕前に応じたルートが用意されている。戦略というのは、ペナルティを回避することとは意味がちがう。ペナルティとは、設計者の意図

にゴルファーが従わされてしまう強制的なものだ。戦略的コースでは、考えて選択する無限のおもしろさがある。新しいタイプの設計家は、どちらかというとペナルティをどっさり用意してかかるが、私は戦略派の設計が好きだね」

この小柄なメキシカンは、40歳ごろからすっかり背中が丸くなってしまった。いつも前かがみで芝の1本ずつを見て歩くためだ。

「最終組が出ていったあとを追うように、二度目のおつとめが始まる。その間、昼寝でもしてるのかって？ とんでもない。ゴルフ場にはプレーと無縁の広いスペースが山ほどあるものだ。そうした場所の植木の手入れ、道路修理、予備に貯えている植木や芝の点検、機械類の刃物を磨いたり、油も差さなければならない。休む間もなし、働きずくめの毎日なんだ。とくにコースが休みの日は、徹底的にメンテナンスをするから、まるで戦争のような忙しさだよ」

彼は、ゴルファーがあまりにコースのことを知らなすぎると、表情をゆがめる。

「使う者の責任について、これまで真剣に論議されたことがない。それがとても残念で哀しいよ」

心ないゴルファーは、ボールを打つ前に何度となく素振りをくり返して、そのたびに芝を削り取る。実際のショットで芝を削るのは当然だが、素振りでも草を切る。

「削られた芝が元通りに生え揃うまでに、夏でも60日間かかるのだ。冬の長いコースの場合、11月ごろ削られた場所が回復するのは、早くて5月になる。心ない素振りのために、そこは半年以上も無惨な姿を露呈し続けなければならない。素振りでコースを痛める者は、自然破壊という名の犯罪を行った上に、他のプレーヤーに対しても重大な迷惑を与えたことになる。素振りは、草に触れずにやるのがゴルフの常識なんだ」

「グリーン上で、ボールの落下跡に顔を近づけてよく見て欲しい。芝は金槌《かなづち》で鋭く叩いたようにつぶれ、表面に近い部分は根が千切れている。放っておけば丸一日で変色して、その周辺の芝まで死にはじめる。ボールマークやディボット跡を放置するゴルファーが増えたならば、やがて世界中のコースが癌《がん》に侵されたように、見るに耐えない姿に変わり果ててしまうだろう。そんな有り様を見るぐらいなら、私は早く死にたいよ」

「芝生というのは、それぞれが細い血管でつながっている生き物と考えて欲しい。もし、スパイクを引きずって切り傷をこしらえたならば、切断された血管の先の部分は梗塞《こうそく》を起こして絶命するしかない。ゴルファーは、とてもデリケートな生き物の上を歩いていることを十分に意識してプレーすべきだと思うね」

東海岸のコースから離れないフェルナンデスだが、一度だけ望まれて西海岸の新設コースに雇われたことがある。ところが1カ月で憤然と戻ってきてしまった。

「はっきりいって、私はゴルファーという人種があまり好きになれない。矛盾は百も承知だが、理由は簡単、私たちが苦労して手塩にかけている作品を平気で痛めて、うしろを振り返ろうともしないからだ。あなただって、乱暴者は好きになれないはずだ」

彼が、たった1カ月で西海岸から怒り狂って引き揚げた理由は、十分に納得いくものだった。

不眠不休の1カ月が終わって、ようやく明日オープンまで漕ぎつけたフェルナンデスと仲間たちは、とりあえず綿のように疲れた体をシャワーで洗ってひと眠り、それから着替えて、前夜祭が行われているクラブハウスに出掛けていった。

彼は知らなかったが、夕暮れと共に招待客を乗せた車がひきもきらずクラブハウスに押し寄せていた。あまりの数に駐車場はたちまち満杯、あぶれた車はすぐ横の9番グリーンへとこぼれていった。やがて車はグリーン上を埋めつくし、ついに9番のフェアウェイもラフも全部が自動車の洪水となり果てた。

「!!」

フェルナンデスは、きびすを返して荷物をまとめると、全身をふるわせながらいまいましい土地から立ち去った。

「政治的《ポリティカル》スライス」の直し方

夜半の風に洗われたコースは澄みわたり、まだ名残りの小さなそよめきは林のなかにひそんで葉を鳴らしていたが、申し分ないゴルフ日和《びより》。

その日、私の前のパーティーは、ときどきテレビで顔を見かける二人の国会議員と、いかにも裕福で鷹揚《おうよう》な印象を与える初老の紳士だった。かねがね政治家はどんなゴルフをするのか、大いに興味を持っていた私は、千載一遇、彼らのプレーぶりをウォッチングすることにしたのだった。

いうまでもなく、ゴルフとは自分の人柄を天下に公表する恐ろしいゲームだ。さらに、その人の職業がプレーに現れる皮肉な一面も備えている。「いいゴルフをしたからといって、その人物が立派だとは限らない」、これも真実、「結局、その人はその人なりのゴルフしかできない」、これも真実。だからこそ興味しんしん、プレーの末端にまで人間性の本質が見受けられるところが、たまらなくおもしろい。

それにしても、ゴルフの歴史そのものが浅いとはいえ、日本の政治家に名手がいないのは寂しい限りだ。これまでに片手の指ほどのシングルしか輩出されず、そのなかでは田英夫と石原慎太郎が、やや本格派。といっても積極的にアマ選手権に挑戦するほどの意欲は見られなかった。

吉田茂をはじめ、かつての宰相や重臣たちもゴルフを愛したが、

「90を切るのは、共産主義の連中と肩を組んで国歌をうたうよりむずかしいよ」（岸信介）

この名セリフでも推察されるように、そろってアベレージゴルファーばかり。以前、政権をめぐる確執をプレーで揉みほぐそうと、中曽根、安倍、竹下氏らが、不遜にもゴルフを懐柔の小道具に利用したことがあった。このとき同行した記者によると、

「グリーン周りでゴチョゴチョッとまとめる竹下がトップ、あとの二人はショットが定まらず、よくいえば全方位型外交の縮図。１００が切れたのは竹下さんだけ」

一方、視線を外国の政治家に転じると、ア然として打ちのめされるほどの名手が目白押しだ。メジャーの試合だけ拾ってみても、たとえば１９３１年の全米アマ選手権の優勝者、ジャック・ウエストランドは下院議員であった。とくにこの年は強豪がひしめき、激烈なゲームの連続だったが、州税の改革に手腕をふるいつつ、下院議員はついに優勝してしまった。彼のコメントが記録に残っている。

「情熱を使い分けることはできない。ゴルフであれ政治であれ、自分の持てるすべてを傾注することだ。熱中は進歩につながる」

この下院議員は、ゴルフ仲間から〝チップマン〟というニックネームをもらっていた。彼のランニングの冴えは天才的であり、チップショットは次々とカップに沈んだ。

ピーター・フリーマンも、ジャックと同じ下院議員である。彼はワシントン州とイリノイ州の両方でアマ選手権を制覇する偉業を達成、全米アマ出場の資

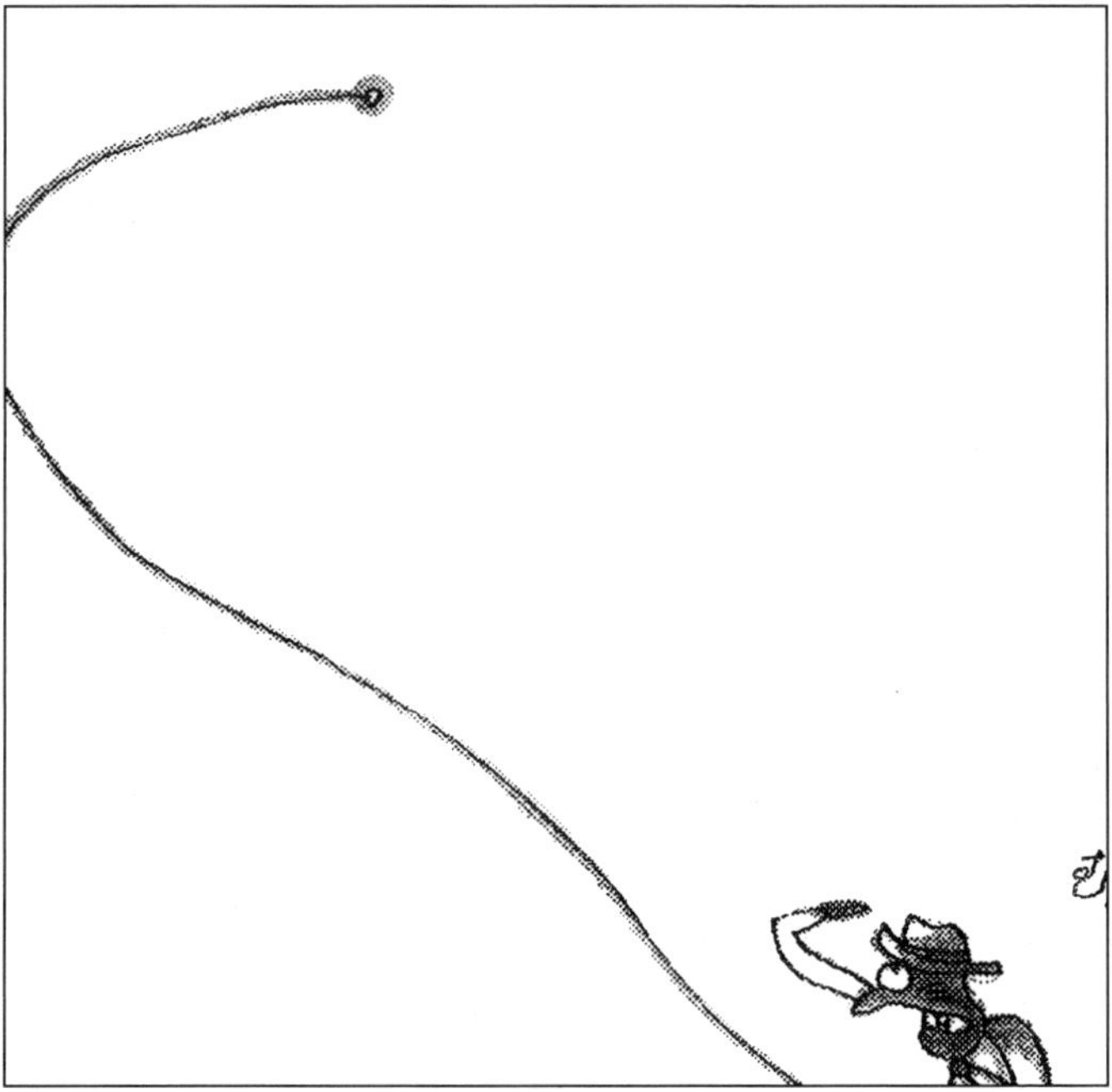

格を得た。

ところが不運なことに、試合の初日が法案の説明日と重なったため、涙をのんで全米アマをあきらめかけた。すると、話を知った議会委員会のメンバーが全会一致で説明日を1週間ずらす決定をした。なんというイキなはからいだろう。

試合のほうは3回戦で惜敗してしまったが、フリーマン議員がどれほど凄腕であったか、その証明がいまなお4カ所のゴルフ場にコースレコードとして残っている。「67」「66」「67」「68」というのが議員のスコアである。

ウォーカーカップの代表選手に何度も選ばれ、1964年の全米アマに優勝したビル・キャンベルは、バージニア州議会の議員だった。1961年から連続5回、東部アマを制したジェス・グレッセンも、ペンシルヴェニア州議会の議員であり、3日続けて公式競技でホールインワンを達成した快挙の持主でもある。

1979年、ウイリアム・ホイットローが内相としてサッチャー政権に迎えられたとき、ロイヤル・アンド・エインシェント・ゴルフクラブ（R&A）は大騒ぎだった。なにしろ彼は、1969年度のR&Aのキャプテンである。若き日の内相はオックスフォード大学ゴルフ部のエースとして活躍、アメリカに遠征して6連勝を果たしたこともある。

ウォーカーカップのイギリス主将として豪打をふるい、4日間の試合中、全部のロングホールを「4」であがってみせた〝ラディ・ルーカス〟こと、パーシー・ベルグレイブは、第二次大戦で21回も勲章をもらった有名な戦闘機パイロットだった。マンガの主人公にもなったほどの国民的英雄は、のちに下院議員に当選。このあとがスゴい話だ。

院内ゴルフ対抗に呼ばれて1番ティに行ってみると、その日の相手がサム・ブラウンとフレッド・ハードリーだった。二人とも全英オープンに出場した選手であり、ともに下院議員に当選していた。そこで、ときならぬ全英オープンが再現されて、ようやくパーシー・ベルグレイブが二人を振り切ったそうだ。

少しオーバーないい方をすると、イギリスの議会にはトップアマがごろごろしている。やはりアマの選手をしていたローレル卿が、ニクソンの時代に、ホワイトハウスの議員連盟に対抗試合を持ちかけたことがある。アメリカ側からの返事はこうだった。

〝まず、ハンディキャップについての定期閣僚会議を開催しようじゃないか〟

戦わずして勝ったエピソードを、A・アダムスは「無言の強さ」と題してコラムに書いている。

ヘンリー・ロングハーストは、私が畏敬してやまないゴルフ・エッセイストの一人である。テレビ解説者としても、これほど厳正でユーモアにあふれた人もマレだった。この名文家もドイツアマ選手権をはじめ、多くの競技会でチャンピオンに輝いているが、チャーチル宰相時代、下院議員をつとめていた。

毒舌家でもあったロングハーストが、議員仲間の右派強硬論者として知られるクリストファー・シャクランドとプレーしたとき、国粋主義者はしきりにスライスを連発して、ついにドイツアマの覇者にアドバイスを求めてきた。

「どうやっても右に曲がりおる。このいまいましいスライスが直るなら、テムズ川を裸で横断してもいいくらいだ。ヘンリー、特効薬はないかね？」

「きみの裸体など、解剖学のインターンだって興味は持たないと思うね」

そして、辛辣にいい放った。

「本気でスライスを直したけりゃ、方法はただ一つ、左翼に転向したまえ」

さて、前を行くわれらが先生方に視線を戻してみると、これはもう惨憺《さんたん》たる有様。イネ科の芝にダメージを与えて農水省、立木にボールをぶつけて林野庁、バンカーの砂を派手に浪費して建設省と、関係省庁に顔を売りながら、最後までジグザグ行進が続いた。

ゴルフばかりがステータスではないが、この偉大なるゲームをよく理解したスマートな人材が集まる政界と、その反対の人材が集まる政界、コトはどうやら国家の体質にまで波及する気配である。

ゴルフ狂の歌が流れる

「ダブルボギーを打っちゃった。ああ、ダブルボギー・ブルースよ。

3《スリー》パットとOBにゃ、これまで何度も泣かされた。朝イチ・ティで緊張すると、ダブルボギーを打っちゃうよ。ああ、ダブルボギー・ブルースよ。

ゴルフに惚れぬく日もあるが、ブン投げたい日もないじゃなし。ゴルフの名医はいないかな。おいらにしっかり取り憑《つ》いた、ダブル病菌治《なお》してよ。

ダブルボギーを打っちゃった。ああ、ダブルボギー・ブルースよ」


なんとも愉快なゴルフの歌ばかり8曲、珍しいテープが手に入った。

カナダやアメリカには、ゴルフに関するグッズだけを並べる店がある。たとえば下着コーナーをのぞいてみると、ゴルフ用語をジョークに使った図柄の男物、女物がずらりと並んでいて、「ホールインワンに、あなたのは1インチ足らず」、とか「ちょっと！ ホールは反対側よ」といったパンティがあって、思わず吹きだしてしまう。

トロントにあるその店には、ゴルフの匂いづけをしたカップ、灰皿から、距離と風向きの測定器まで、あらゆるグッズが所せましと並んでいるが、その片すみから私の娘が1本のカセットテープを発見した。

『ダブルボギー・ブルース』

作詞・作曲から歌まで、ダニー・セイフリードという男が一人でこなしている。カバーには、コースの木陰に座ってギターを弾く彼の写真が巻かれていたが、いかにもゴルフ大好きといった感じの中年である。

まず、メロディが多彩なのには笑ってしまった。ブルースに始まって、ロック、カントリー、バラードから、ついにはラップまでとび出してゴルフの悲喜こもごもを歌いまくる寸法だ。

「82歳だったわたしは、何もすることがなかった。このゲームに出会うまでは。
いま、わしは95歳。まだピンピンしとる。あんたもゴルフをやんなさい。わしの自慢は25回も達成したエージシュート。友だちと、端《は》したガネ握って血相変えて。
ゴルフ、こいつは素晴らしいゲーム。
ゴルフ、すっかり夢中さ。
ゴルフ、わしのボケを止めてくれる。

ゴルフ、あんたのボケも止めてくれる。

家の中にたれ込めないで、ドライバーでも持ちだしてみろよ。ゴルフはあんたを待っている。新しい友だち、新しい時間。きっときみは変わるだろう。そう、わしが変わったみたいにね。

ゴルフ、こいつは素晴らしいゲーム。

ゴルフ、すっかり夢中さ。

ゴルフ、わしのボケを止めてくれる。

ゴルフ、あんたのボケも止めてくれる」

（「ゴールデン・エージ・ゴルファー」より）


これをカントリー調でやっつけるのだから、たまらない。思い返してみても、ここまで徹底的かつ集中的にゴルフを歌ったテープ、レコードは、かつて存在したことがない。たまに1曲、グレン・キャンベル、アンディ・ウイリアムスあたりが歌うだけで、ヒットしたのはビング・クロスビーの「真っすぐな快打」（Straight dowm the Middle）だけである。テープの主、ダニー・セイフリードは、その意味でまぎれもなくゴルフ狂だ。

「そうさ。みんなはオレを〝ワンパット〟と呼ぶ。オレ様は正真正銘のワンパット男。オレに3《スリー》パットなんて起こるわけがないさ。

ジャック・ニクラスとプレーしたとき、彼に1打のリードを許しちまった。ただし、17番、18番でオレが本領を発揮するまでの話。

彼曰く、〝ダニー、きみは何てスゴいやつなんだ！　たのむからゲームのコツを教えてくれないか〟。そこでオレはこういってやった。〝ジャック、とっとと消えな〟

そう、なんたってオレはワンパット男。ファンのために豪打を放ち、パンのためにパットする。人生なんてコースと同じ、上がって下がってまた上がる。ホールアウトでオレの勝ち、ほかの選手は座り込む。そうさ、オレはワンパット」（「ワンパット」より）

ラップのリズムに乗って、ニクラスに「とっとと消えな」というところが実におかしいのだ。多分、ダニーはプロを夢見た男ではないか、と思わせるのが次の歌。

「勝っているのに、負けてる気分。

始まったばかりなのに、終わった気分。

こんな気持ちは、ゴルファーならわかる。

挑戦した数だけ、挫折する。いいゲームを長く続けるためには、いつも精一杯、さらに精一杯。

トップへの道は険《けわ》しいけれど、ぼくは一生トライする。ある日、ぼくが頂点に立ったなら、きみは気安く声をかけてくれ。

スーパースターになりたいな。ＰＧＡツアーで世界を回りたいな。ファンが狂喜する声を聞きたいな。夢が実現するまで、ぼくは決してあきらめない」（「スーパースターになりたいな」より）

ゴルファーには、大なり小なり誇大妄想癖が巣喰っていて、その夢の部分に寄りかかることで発狂もせず、相変わらず性懲《しょうこ》りなく地ベタを叩いているのだが、ダニーの夢はＰＧＡツアーであったようだ。おそらく挫折した彼は、歌に希望を託したのだろう。メロディはどれも軽快、歌も悪くない。が、ユーモラスな歌詞の向こうにひと掃《は》きの苦みがある。アマの試合で優勝したこともあるらしいが、彼のゲームは歌の世界に舞台を移してしまったようだ。

「ビリー・マクラーファンのためのバラード」という曲がいい。自分を育ててくれた男に対して、しみじみとした愛惜のバラードを歌い上げている。このテープを聞きながら、日本の音楽関係者にもゴルフ好きが多いのに、１曲としてゴルフの素晴らしさを称《たた》える歌が生まれてこない底の浅さを哀しく考えていた。

「ビリーは、椅子の上でしか歌わないスコットランド気質のテナーだった。彼の大きなお腹がビールで満たされると、笑いまでが溢れてきた。

〝長いこと、飲みすぎた。オレの人生は間違いだらけだった〟

口癖をつぶやきながら、彼はぼくにゴルフを教えてくれた。家族を亡くし、友だちを避けたビリー。ぼくはきみが残してくれた言葉を決して忘れない。

〝頭は低く、スウィングはゆっくり。

力を抜いて、なめらかに振れ。

上達したけりゃ、毎日振れ〟

ぼくは父を知らないが、彼はその役を見事に果たしてくれた。彼を兄のようにも愛していた。スコットランドの名曲を口笛で吹きながら、何時間でも練習を見てくれた。

彼にお礼を伝えたい。どんなに愛していたか、伝えたい。けれど彼はもういない。初めて試合に勝ったとき、どれほどビリーにいて欲しかったことか。ぼくは心から、きみが大好きだった。ビリー、きみの残してくれた言葉を、ぼくは決して忘れないよ。

〝頭は低く、スウィングはゆっくり。

力を抜いて、なめらかに振れ。

上達したけりゃ、毎日振れ〟」

水割りを片手に、椅子にもたれ込んで哀愁のバラードに耳を傾ける。これもまた、ゴルファーであることの歓《よろこ》びのひとつ。

わが心のホームコース

ときとしてゴルフは、生命《いのち》の糧《かて》にまで昇華して「神のごとき存在」に変化することもある。現在、ミズーリ州で小さな新聞社を経営するジョージ・ホールの貴重な体験が、その事実を私たちに教えてくれる。

彼は6年3カ月もの長い期間、捕虜として北ベトナムの収容所に閉じ込められていた。クンソニット村での作戦行動中、崖から転落して失神、気がついたときには北ベトナム兵に取り囲まれ、裸に剥《む》かれていた。

拷問は残虐をきわめる。水の入ったバット状の革袋で殴られ、右耳はそのときから聞こえなくなった。トラックでひきずり回された後遺症で、頭の皮膚はいまでも欠落している。拷問は気まぐれで、しかも執拗だった。アメリカ兵は少しずつ死にはじめ、気が触れる者も出はじめた。

士官だったジョージ・ホールに対する仕打ちはさらに過酷をきわめ、最初の1週間は体を横にすることも許されなかった。

「拷問のあいだ中、私は愛する人のことを一心不乱に考えることにした。髪、頬、匂い、うなじ、優しくなつかしい乳房、笑顔。それから二人で歩いた景色、会話、声、手の感触まで思い出した。心を過ぎ去った楽しい時間の中に閉じ込める以外、苦痛から逃れる方法はなかったのだ」

愛の力の素晴らしさ、極限の中で人を支えてくれるものの偉大さに改めて感動させられる。

「ついに、同室の少尉が精神に異常をきたして、射殺された。おそかれ早かれ私もそうなるだろう。生きて帰って、故郷のゴルフ場の緑したたる芝の上をのんびり歩きたい、この夢ばかり見ていた」

彼はハンディ7のシングルプレーヤー、それだけに、ゴルフに対する想いは熱烈だった。恋人を恋うるのと同じぐらいにゴルフをも焦《こ》がれていた。

ある日、素敵なアイデアがひらめいた。故郷のホームコースをイメージして、なにがあろうと1日1ラウンド、本気でプレーしてみよう。時間だけは無限にある。何かに打ち込んでいなければ気が狂ってしまうのは時間の問題。そうだ、ゴルフを始めよう。

たて4メートル、横3メートルの房は、同室者が射殺されて自分一人だけ。狂気の取調べから3カ月ほど経過して、比較的落ち着きはじめた雨の朝、彼はウォームアップを開始した。

「スタート前に、必ずその日の気象条件を決めること。いったん決めた天候は、たとえ強風であっても絶対に妥協しないこと。プレーはノータッチ、自分に有利な考えは持たない。クラブの競技会に出場しているつもりで真剣にプレーすること。私は、心にこれだけのことを誓って、いよいよイメージゴルフをはじめた」

ホームコースに広がる18のホールは、草1本、小石1個まで記憶が鮮明だった。距離もグリーンのアンジュレーションも、まるでその場にいるように暗記している。風の匂いさえ感じるほどだった。

スタート前の柔軟体操、素振り、といってもクラブがないので、グリップを振るだけ。そして腰をかがめてティアップ、第1打目のアドレスに入る。左は林、右に大きなバンカーがある。思いきりよく、スウィングのバランスを崩さない程度に思いきりよく。

「最初の数日間というものは、スウィングするたびに倒れてしまった。自分でも消耗のひどさにおどろき、まず基礎体力を作ることに主眼を置いた。腹筋、背筋の運動を、連中の目を盗みながら根気よく続けて、ようやくクラブが振れたのは初ラウンドから2週間も経ってからだった。私は独房の中で、まさにゴルファーとして甦《よみがえ》ろうとしていた。生きる希望が、はっきりと芽生えはじめてきた」

たとえば2打目はラフの中、クラブは7番、前方をしっかり見定めて、それからスウィング。打球の行方を目で追って、グリーンの奥に少しこぼれたことを見届けると、彼は歩きはじめる。4歩で曲がって3歩で曲がり、また4歩で曲がって3歩で曲がる。はた目には檻《おり》の中をうろつく動物のように見えても、彼にとっては真剣な歩測の時間だった。

チップでボールをピンに寄せると、今度はしゃがみ込んでパッティングラインの読みに入る。

「私はパットが苦手だった。どういうものか、大事なパットになると左手首が硬直してス

ムーズに動かないのだ。そのために、クラブの競技会で優勝するチャンスを何度も逃してきた。ところが、独房の中でも同じことが起こったのだ。実際にボールを打つわけでもないのに、幻想のパッティングなのに、私の左手首は北ベトナムでも硬直したまま、スムーズに動いてくれなかった。毎日、私はパットに悩まされ続けて、あのドブネズミのエサにも劣る粗悪な食事さえノドを通らない日が続いた」

ゴルファーの脳の仕組みは、いったいどうなっているのだろうか。さらに不思議なのは、かつて実際にプレーしたとき、そこでOBを打ったホールまでやってくると、彼はしばしば独房の中でもOBを再現したという。細心の注意を払ったつもりなのに、週に二、三発のOBが出てしまった。バンカーにしても、むかし失敗した場所で打ったイメージショットは、うまくいったためしがなかった。

「ゴルフが潜在意識に強く作用されるゲームであることを、私はこのとき痛いほど理解した。打つ前に、すでにショットは決定されているのだ」

打っては歩き、歩いては考え、しゃがみ込んではラインを読む彼の行動は、周囲から見たとき、正常な人間のすることではなかった。兵士たちは檻をのぞき込んで笑い転げ、やがて彼にかまわなくなった。ゲームは、毎日欠かさず18ホールが真剣にプレーされて、6年3カ月の途方もない歳月が流れた。

「ゴルフのおかげで、私は発狂することもなく帰還することができた。もし偉大なゲームにめぐり逢っていなかったとしたら、私はおそらく自殺していたと思う。ゴルフが私の生命を救ってくれたのだ」

帰還して3週間後、ジョージ・ホールは幻想ではない懐かしいホームコースのティグラウンドにしっかりと立っていた。

7年ぶりの彼のゴルフは、ほとんど完璧に近いものだった。一緒に回った友人たちは、ベトナムにいたのは嘘で、どこか他の土地でプロ修行をしていたにちがいないと叫んだ。6年間の素振りの結果であることは、まぎれもない。

「私は一度だけ、独房の中でしみじみ泣いたことがある。帰還する数ヵ月前のことだ」

あれほどの拷問と、襲いかかる苦痛の嵐に身を置いてさえ泣かなかった男が、一度だけ涙を流したその理由は、

「ついに、心の中のホールで、一度もバーディがこなかったのだ。ざっと数えて4万ホールもプレーしたというのに、ついに一発のバーディもこなかった。なぜだろう。みんな惜しいところでカップに嫌われてしまうのだ。これが本当に口惜しくて、それで、一度だけ私は思いきり泣いてしまったのだった」

エジプトから来た「静かなる男」

陽だまりの氷が溶けるように、ゆっくりと人種差別という名の悪疫も消えはじめてはいるが、1950年前後のゴルフ界はまだ暗黒の時代だった。この興味つきないゲームを楽しむ特権は、白人だけに与えられたものという思い上がった風潮が強く、たとえばアメリカ南部のさるコースでは、世論に負けて建て前だけ黒人に門戸を開放したが、しかし、実際にプレーを許可したのは午後4時以降だった。

黒人のメンバーたちは、白人の最終組が出たあと、夕暮れの中でひめやかにクラブを振ったが、その中には古代インカ研究の碩学《せきがく》、サム・ボーマー博士の姿もあった。

ゴルフの世界でも、とくに黒人ゴルファーが浴びてきた屈辱は、ゆうに1冊の受難史が書けるほど過酷であり、偉大なゲームの中に矮小《わいしょう》な人間が残した汚点でもある。だから、1976年のフランスオープンで無名の黒人選手、ビンセント・チャバララが優勝したとき、新聞は、

「ヨーロッパで初の黒い勝利！」

という大見出しをつけた。欧州で開催される星の数ほどのトーナメントで初めて黒人選手が栄冠を手中にしたと報じたのだが、これは記者たちの勉強不足である。チャバララより25年も前の1951年、すでにフランスオープンですさまじい勝ち方をした黒人選手がいたのだ。この天才は、1949年のイタリアンオープンでも優勝している。

しかし、当時の黒人蔑視思想が陰湿に働いたのだろうか、記事の扱いはごく小さく、優勝者が黒人だということを伏せた新聞もあった。豪打と正確無比なアイアン、さらに絶妙なパッティング、そのスウィングは華麗に舞う舞台の貴公子を連想させたといわれる彼の名は、ハッサン・ハサナイン。

かつて「サンデー・タイムス」にヘンリー・ロングハーストが彼を取り上げたことがある。

「ゴルフの歴史から見て、輝かしい戦歴と洗練された人柄、惚れぼれするようなプレーぶりは、まさに東洋が生んだ最高の名手といえる」

アフリカ大陸にあるエジプトが、果して東洋と呼べるかどうかは別にして、ハッサンは純粋なエジプト人だった。それも大陸の奥地で栄えた後期エジプト王家の末裔《まつえい》であり、肌の色は見事なまでに漆黒《しっこく》、面立ちは高貴でハンサム、笑顔からこぼれる純白の歯並びが美しい男だった。

1916年、カイロで生まれた彼の家は、祖先がとうに没落して生活が苦しく、少年ハッサンは燃料として売るための牛糞を拾いながら成長したといわれる。

彼が所属していたカイロのガシーラ・スポーツクラブに残された乏しい資料によると、ハッサンはまぎれもなくゴルフの天才だった。12歳ごろ名門ヘリオポリス・サンドコースにキャディとして雇われたが、2、3年というもの貧しくて靴が買えず、裸足のキャディと呼ばれていた。

ところが18歳のとき、彗星《すいせい》の如くエジプトオープンに登場して3位に入賞する。ガシーラ・スポーツの記録には、クラブを握って3年目にパープレーをやってのけ、17歳で「66」のコース新記録を樹立したと書かれている。

3年目でパープレー、4年目に「66！」、ゴルフとは、何とやさしいスポーツではないだろうか!?

ハッサンが短期間でゴルフをマスターした方法については、まったく手掛かりがない。しかし、試合に顔を出すようになってもキャディだけは続けたというから、早朝、夕暮れの限られた時間に黙々とボールを打っていたにちがいない。

それでも3年でゲームがマスターできるものだろうか。これはもう、天才と呼んで、われらダッファーは苦笑するしかないようだ。

第一次大戦中、進駐してきたイギリス軍によって広められたゴルフは、エジプト人のハートをしっかり摑まえてしまった。ここでは2種類のコースが作られた。芝のコースは上流階級用、砂のコースは一般ゴルファー用。ハッサンは、そのどちらのコースでも巧みなプレーを披露した。

母国でプレーしている分には、ハッサンの身に何のトラブルもなかったが、やがて国を代表してヨーロッパ、イギリス、アメリカまで遠征するようになると、漆黒の肌に対するいやらしい差別が待ち受けていたのだ。

「いくら選手だといわれても、このホテルは白人しか泊めない方針でね。済まないが、どこかよそに行ってくれないか」

ハッサンは、黒人失業者収容施設から、4日間のトーナメントに通ったことがある。

「きみは、このレストランに入れないんだ。入口の看板の字が読めないのかね？」

そこで仕方なく、ホットドッグを買って公園で食べた日もあった。

ゲームに出場すると、今度は嫌味が聞こえてくる。「見ろよ。黒いのがいるぜ」「いつから法律は黒人にゴルフを許したんだい」、こんなのはマシだった。ある差別の強い国の試合に出たとき、初日の1番ティでハッサンは強く打ちのめされた。

「こいつは珍しいや。人真似のうまいキャディがゴルフを始めるぞ」

しかし、彼は哀しいほどに静かな男だった。いかなる迫害を受けようとも、礼儀正しく、微笑を絶やさず、語気を荒げることもなかった。彼のプレーぶりを見てきた評論家のトーマス・グリーチは、ついにたまりかねて、次のように書いた。

「静謐《せいひつ》で温厚なハッサンに対する侮蔑《ぶべつ》を、どうかやめてもらいたい。私は、自分が白人であることを彼に恥じている」

ハッサンは、流れるようなスウィングと洗練された立ち居振る舞いで、着実にトップの座に迫っていた。1949年から52年まで、エジプトオープンに4連勝しているが、こうした試合には全英の覇者マックス・フォークナー、ジミー・アダムス、あるいはジョン・ジェイコブスといった世界の強豪が参加していた。その中での4連勝だったのである。さらにイタリアンオープン、フランスオープンも制した。

全英オープンでは決勝進出3回、ベン・ホーガンが優勝した1953年の試合では17位に入っている。彼が残した記録の白眉は、アフリカ恒例のデザートオープンでの11連勝である。1946年から56年まで、あまたの選手がハッサンに挑んだが、ついに彼はタイトルを守り通した。

その56年のシーズンが終わった年の暮れ、ハッサンの家には何人かの若者が集まっていた。彼は後輩を育てることに熱意を傾け、多くの貧しい子供に奨学金を与えていた。おそらく、その日も炉端で若者たちに例の静かな口調でスウィング論を語っていたにちがいない。

石油ストーブの燃料が切れたことに気がついたハッサンは、容器を持ってタンクに灯油を注入した。

悲劇はその瞬間に起こった。ストーブが爆発してハッサンは即死、三人の青年が大火傷を負ったのだ。

漆黒の貴公子は、わずか40歳にしてあっけなく世を去ってしまった。カイロ郊外に建てられた彼の墓石には、優しい文字で次のように銘が刻まれているという。

「ハッサン・ハサナイン　静かなる天才ゴルファー　ここに眠る」

生きているあいだ、ついに一言たりとも彼の口から「差別」についての怨み言は漏れたことがなかった。真に偉大な男である。

解説　夏坂健への旅①　児玉　清

夏坂さんが逝って7年余りが過ぎた。その間、ぽっかりと胸に空いた穴は歳月とともにますます大きさがひろがるばかり。いかに夏坂さんがゴルフ・エッセイストとして稀有な存在であり、彼のエッセイがいかに素晴らしく且つ貴重なものであったか!!と天を仰いで長嘆息し、夏坂さん恋しさから、手当り次第、本棚から夏坂本をひっぱり出しては、ありし日の夏坂さんとの交流を懐しみ、作品の楽しさ、面白さにクスクス笑いをし、爆笑し、抱腹絶倒し、ゴルフというスポーツの底知れぬ奥深さを、かくも愉快にウィットとユーモアを交え、ときには人生のペーソス溢れる見事な物語へと紡ぐ夏坂さんの名人芸に今更のごとく酔い痴れている毎日なのだ。が、そんな僕に嬉しいニュースが飛び込んできた。

ゴルフダイジェスト社から新編纂された、夏坂健セレクションが出版されるというのだ。僕は朗報に跳び上がった。というのも、夏坂さんの生前の口ぐせが、《僕にお墓はいらない、なぜって僕の書いた原稿が、本が僕の墓標だから》だったからだ。フェアウェイを歩きながら何十回となくこの言葉を聞かされた僕は、新たなるメモリアル・ポールともいえる出版に大拍手したのだった。

僕が夏坂さんに初めてお目にかかったのは、あるテレビゴルフ番組でのこと。彼が心臓の大手術を丁度くぐり抜けた直後のことであった。まだ養生中《リハビリ》でスウィングできないとのことで、夏坂さんはプレーをせずに、ともにフェアウェイを歩いたのだが、その話の面白いことといったら。外人の難しい名前や年号も正確に次から次へと語られるエピソードの愉快さに僕はグリーン上で身もだえした。中でも忘れることのできないのが、本編にも収録されている「ライは嘘をつかない」だ。今、思い出しても、また今回再々読しても可笑しさにお腹の皮がよじれる。もちろん爆笑話だけではない。「15本目の、秘密のクラブ」も、いつまでも心に残る一章だ。

「ゴルフにめぐり逢えて本当によかったと、私はいつも神に感謝している。ミスショットばかりしていたおかげで、どうやら人間の道を踏みはずすことなくここまで生きてこられたと思っているよ。本当にゴルフというのは凄いゲームだ。願わくば、夕暮れの中に静かに広がるコースを眺めながら、眠るように死にたいものだね」と語るウッドハウスの言葉は夏坂さん自身の言葉と重なって谺《こだま》している。夏坂さんを知ることによって、彼のエッセイを読むことによって平々凡々だった僕のゴルフ人生はバラ色に変わったのだ。きっとあなたも!!

夏坂 健 ken natsusaka

1934年（昭和9）神奈川県横浜市生まれ。

翻訳家・作家。

週刊ゴルフダイジェスト1990年3月13日号より「アームチェア・ゴルファーズ」の連載を開始。シングルであった自らのゴルファー体験と、内外の厖大な資料をもとに紡ぎ出されるエッセイは機智とユーモアに溢れ“読むゴルフの楽しみ”という新境地を切り拓いた。主著は『ゴルフの虫がまた騒ぐ』『ゴルファーを笑え!』『地球ゴルフ倶楽部』『フォアー!』『微笑ゴルフ』『ゴルフへの恋文』など。2000年1月19日、惜しまれつつ亡くなった。2007年、小社より「夏坂健セレクション」を刊行。

ゴルフダイジェスト新書 classic 01
夏坂健セレクションⅠ
わが心のホームコース

発　行　2007年5月30日 第1刷
　　　　2007年7月 9 日 第2刷
著　者　夏坂　健
発行者　木村玄一
発行所　ゴルフダイジェスト社
〒105-8670　東京都港区新橋6-18-5
TEL 03-3432-4411（代表）　03-3431-3060（販売）
e-mail gbook@golf-digest.co.jp
URL http://www.golfdigest.co.jp/digest
組　版　スタジオパトリ
印刷・製本　大日本印刷
定価はカバーに表記してあります。万一乱丁・落丁の本がございましたら、小社販売マーケティング部までお送りください。送料小社負担にてお取り替えいたします。
©2007 Yuko Machida, Printed in Japan
ISBN978-4-7728-4078-1 C2075

ゴルフダイジェスト新書

ゴルファーのスピリット
the spirit of the game

鈴木　康之

スコアや論理にこだわるのが「商」のゴルフなら、作法や誉れ、センスにこだわるのが「士」のゴルフ。上手いゴルファーよりも美しいゴルファー、誇りあるゴルファーになりたい人へ。上質のゴルフ人、54の紳士道・武士道を紹介した必読の書。

「ありがとう」のゴルフ
感謝の気持ちで強くなる、壁を破る

古市　忠夫

前向きな心と「ありがとう」という感謝の気持ちを武器に、阪神淡路大震災を乗り越え、60歳でプロテストに合格した〝カメラ屋のおっちゃん〟古市忠夫が語る、奇跡と感動の上達法。2007年ゴルフダイジェストアワード・読者大賞受賞作。

練習ぎらいはゴルフがうまい！
プラスハンディが考えた合理的スウィング作り

佐久間　馨

練習はサボっても、頭は怠けない！　合理的にゴルフやスウィングを考えれば、どんな練習ぎらいでも、忙しくて練習できない人でも飛躍的に進化できる。スコア72のパープレーを約束する、トップアマが編み出した画期的な上達進化論。